Gabriella Genisi

Terrarossa

SONZOGNO

© 2022 by Sonzogno di Marsilio Editori® s.p.a. in Venezia
Pubblicato in accordo con Grandi & Associati
Prima edizione: marzo 2022
www.sonzognoeditori.it

TERRAROSSA

*A Paola Clemente
e alle vittime di caporalato*

Era la mia città, la città vuota
all'alba, piena di un mio desiderio.
Ma il mio canto d'amore, il mio più vero
era per gli altri una canzone ignota.

SANDRO PENNA, *Poesie*

La strada
si riempì di pomodori,
mezzogiorno,
estate,
la luce
si divide
in due
metà
di un pomodoro,
scorre
per le strade
il succo.

PABLO NERUDA, *Ode al pomodoro*

Amara terra mia...

DOMENICO MODUGNO

Zona rossa

9 marzo, lunedì

Nel giro di pochi giorni, senza alcun preavviso e senza che ce ne rendessimo conto, c'eravamo ritrovati in un romanzo distopico. La città di Bari, insieme al resto dell'Italia, era stata dichiarata «zona rossa» a causa di un virus che rischiava di infettare tutto il mondo. Il Covid-19 era una bomba atomica che minacciava di uccidere l'intero genere umano.

Stavo vedendo Montalbano in tv, stavo, quando il questore, con un tono che non ammetteva repliche, mi aveva chiamato per comunicazioni urgentissime.

«Lobosco, ti voglio immediatamente nel mio ufficio.»

«Un omicidio?» biascicai, ché di sera tardi non ero mai al meglio.

«No, per fortuna. O forse per disgrazia. Sono arrivate direttive dall'alto e devo informarti sul da farsi. Im-me-dia-ta-men-te» scandì con enfasi.

«Mi scusi, signor questore, ma sono le undici! È proprio necessario? Mi stavo mettendo a letto, mi stavo.»

«Commissaria, ma stai scherzando? Non hai seguito l'edizione straordinaria del telegiornale? Quello che ha detto il presidente del consiglio?»

«Veramente no, mi sarò addormentata davanti alla televisione. Cosa succede?»

«Succede che siamo in guerra, Lobosco. E tu sei un soldato della *patria. Ho già convocato tutto l'organico, dai vicequestori fino agli uscieri.»*

«Non capisco, ma mi dia dieci minuti. Il tempo di vestirmi e arrivo.»

«Fai presto, per favore. Ah, senti, niente tacchi. Da stasera in poi ci sarà da correre.»

«Non si preoccupi, ci sono abituata. Vorrà dire che correrò con i tacchi.»

«Vedi tu, ma muoviti.»

Mi scapicollai per strada in pochi minuti e una volta arrivata in questura compresi che la faccenda era serissima. Del resto, sul territorio nazionale si contavano già diverse centinaia di morti e contagiati. La salute degli italiani era in grave pericolo e, per tentare di arginare il virus e la pandemia, era necessario imporre un lockdown a tempo indeterminato con il quale si limitavano gli spostamenti a «comprovate necessità» e si chiudevano scuole, università, cinema, teatri, librerie e quasi tutte le attività commerciali. Sarebbero stati controllati ogni piazza, ogni spazio aperto, ogni giardino per verificare che le poche persone in giro avessero un'autocertificazione in perfetta regola. Se non eravamo già in uno stato di polizia, poco ci mancava.

In piena notte sarebbero state fatte circolare in tutta la città macchine munite di altoparlanti, per avvisare la cittadinanza delle nuove norme da osservare. Pena: pesanti sanzioni fino all'arresto. Guardai Esposito e Forte in preda allo sconforto. Cosa ci stava capitando? Era tutto vero o stavo sognando?

Forte mi porse un bicchierino di carta con il caffè bollente.

«Bevi, Lolì» disse con dolcezza, «ne hai bisogno.»

«Grazie, Antò, sto stravolta, sto. Sembra tutto così assurdo.»

«Eh, a chi lo dici.»

Avvicinai il caffè al naso. L'aroma intenso mi tolse ogni dubbio. Ebbi un capogiro: era tutto vero, madonnasanta.

Il questore ci istruì sulle disposizioni del nuovo Dpcm, infine ci consigliò di affidarci alla mano di Dio. Ché solo Lui ci poteva salvare, sottolineò mestamente.

Mentre tornavo a casa nel silenzio dell'alba, il ticchettio dei miei tacchi sul selciato mi parve un sacrilegio. Mi appoggiai a una macchina, sfilai le Louboutin e mi guardai intorno: in giro non c'era un'anima per chilometri e chilometri. A quell'ora di solito la città si andava svegliando, i pescatori si affaccendavano 'ndèrr' a la lànz' e i primi avventori si infilavano nei bar appena aperti. Invece le panchine del lungomare erano state incartate con un nastro bianco e rosso di quelli che noi poliziotti mettiamo intorno ai luoghi dove c'è stato un delitto. Le poche attività con le saracinesche alzate erano deserte. Bari era già cambiata sotto l'effetto del virus. Inevitabilmente sarei cambiata anch'io insieme a lei, saremmo cambiati tutti. Quello che nessuno poteva prevedere era fino a che punto.

Durante la prima settimana nessuno di noi si rese bene conto di che cosa si trattasse. Con l'istituzione della zona rossa, il primo pensiero andò alla ricrescita e alla manicure: come avremmo fatto a sopravvivere senza? In seguito si provvide a saccheggiare i supermercati e a fingere di essere in una puntata di MasterChef. Quando farina e lievito diventarono merce rara si passò a ballare sui balconi in un continuo flash-mob.

La domenica successiva mi trovavo lungo le vie del quartiere murattiano. Per strada non girava nessuno, poi dalle terrazze arrivò la musica. L'Inno di Mameli riempì l'aria come durante una parata militare. In lontananza cominciarono i fuochi d'artificio. Senza rendermene conto ero arrivata a casa di mia madre, dall'altra parte della città. Citofonai, qualcuno mi aprì. Entrai nel portone di un caseggiato popolare degli anni Cinquanta, abitato prevalentemente da anziani. Mentre salivo le rampe, catalogai gli odori: naftalina, pastina, minestrone, tracce di ragù. Alla luce livida del neon, provai una sensazione di sgomento. Eravamo su un piano inclinato e stavamo scivolando giù. Tutti insieme, nessuno escluso.

Salutai mia madre, abbracciai i miei nipoti. Carmela stava friggendo le zeppole di San Giuseppe con la solita faccia scura e una parannanza candida annodata intorno alla vita.

Mia madre batté un palmo sulla sedia accanto alla sua. «Siediti un poco, ammammà.»

«Meglio di no» intervenne mia sorella. «Perché se tu sei matta, la testa te la sistemo io. Come fai a non renderti conto che con il cuore strapazzato che si ritrova mammà e le gocce di coramina che deve prendere ogni giorno, se tu le dai un bacio a questa l'ammazzi?»

Alzai gli occhi al lampadario – mia sorella non si addolciva neppure con la pandemia –, poi feci le corna con tutte e due le mani. «Emmadonna, Carmè, come sei esagerata!»

«Ah, pure!» scattò quella. «Esagerata io? Lolì, parliamoci chiaro, non t'azzardare più ad avvicinarti alla porta di casa, con quel cazz' di virùs che sicuramente ti porti addosso, ché la prossima volta ti butto giù per le scale! Che ne sappiamo noi con chi hai a che fare? Ma io dico, ti sembra giusto che tu vuoi prendere aria e a noi ce la vuoi togliere?!»

«Ho capito, sciàmm', me ne vado. Ciao, ma', mi raccomando, riguardati.»

«Ciao, Lolì, n'dà denz' ammammà. Vedrai che Sand' N'col' ci deve aiutare, ci deve.»

«Eh, almeno lui. Speriamo.»

Mia madre, sospirai tra me e me. Tale e quale al questore. 'Na fàzz', 'na ràzz'.

Mentre scendevo con l'umore a pezzi, mi raggiunse Michele, il più piccolo dei figli di Carmela.

«Zia Lolita...» chiamò, la voce che scivolava nel pianto.

Mi fermai sui gradini per abbracciarlo. «Dimmi, tesoro.»

«Zia, tu lo sai quando finirà questa... questa cosa? Perché sai, io voglio tornare a scuola.»

Gli asciugai le lacrime dal viso e provai a rassicurarlo.

«Sta' tranquillo, finirà presto. Metti sempre la mascherina e lavati le mani, vedrai che passa.»

«Prometti?»

«Prometto.»

La seconda settimana non era cambiato niente, anzi. Le disposizioni del governo imponevano nuove limitazioni ogni due o tre giorni, la gente era smarrita. Il bollettino quotidiano delle diciotto emanato a reti unificate dalla protezione civile era inquietante, ma furono le immagini dei camion dell'esercito carichi di bare a ricondurci bruscamente alla realtà. In Lombardia la situazione era drammatica e si contavano circa diecimila morti su tutto il territorio nazionale.

Nonostante questo, il sindaco era costretto a scoraggiare i runner della domenica sul lungomare e i soliti perdigiorno che si ostinavano a ignorare le limitazioni imposte. In compenso, i reati si erano ridotti del settantacinque per cento e non si registravano omicidi. Una pacchia, da quel punto di vista.

Un pomeriggio mi misi in macchina e attraversai la città deserta. La Bari del bon vivre aveva cambiato pelle, sembrava di essere in uno di quei posti fantasma che talvolta si vedono nei film o si incontrano tra le pagine di un libro. Guidavo cercando spiragli di vita sui balconi. Non c'era niente e nessuno, nemmeno i panni stesi ad asciugare, neanche i fiori. Solo i tricolori afflosciati per l'assenza di vento. E silenzio. In lontananza un altoparlante invitava a restare chiusi nelle proprie abitazioni. Con il cuore in tempesta imboccai la litoranea in direzione San Giorgio: il mare era l'unica cosa che ancora riusciva a calmarmi.

Per un attimo pensai di tirare dritto fino a San Vito, di allungarmi fino alla casa bianca di Caruso, poi mi ricordai che esisteva il divieto assoluto di spostarsi oltre i confini cittadini per motivi personali.

Alla terza settimana i contagi aumentarono anche in Puglia. L'infantile speranza nella quale c'eravamo rifugiati, credendo che sole e mare servissero a farci da scudo, svanì come neve a primavera. Dal Gargano al Salento si contarono un centinaio di morti e negli occhi delle donne che uscivano furtive per fare la spesa, con mascherine di cotonina a fiori fatte in casa, si dipinse la paura. I mariti prudentemente preferivano restare al sicuro, spaventati dalle statistiche che li indicavano come più vulnerabili al virus.

All'ora del crepuscolo, dalle finestre spalancate degli appartamenti sul lungomare non arrivava più la musica. Alla luce degli abat-jour si vedeva la vita scorrere lenta, con il televisore acceso in sottofondo e uno sfogliare di pagine polverose. Molti libri dimenticati da decenni venivano sfilati dagli scaffali per essere letti, talvolta riletti. Camus, Saramago e García Márquez erano i più gettonati. Persino Manzoni con la sua peste tornò a essere attualissimo.

Quel martedì pioveva. Uscendo dalla questura passai dal lungomare. Per strada non c'era nessuno, solo posti di blocco. Un gattino bianco e nero attraversò senza alcuna fretta, seguì il suo percorso con attenzione. Avrei voluto essere come lui, imparare dalla sua lentezza, saper aspettare. Invece fremevo, l'immobilità forzata mi nuoceva, mi stava tornando la gastrite.

Allungai fino alle parti del faro, due tizi con un Amstaff al guinzaglio passeggiavano assorti. Scesi dalla macchina, incurante della pioggia. Solo davanti al mare non era cambiato nulla. Altrove era tutto diverso. Nel giro di un mese eravamo caduti in un pozzo nero senza fondo.

Me ne tornai a casa, malinconica e infreddolita. Aprii la credenza in cerca di una cosa dolce, un biscotto o un cioccolatino che mi consolasse dai timori e dalla mancanza di Caruso. Frugai nei cassetti del salotto e nella dispensa, senza trovare nulla: da troppo tempo facevo la spesa in fretta e mi limitavo ai generi di prima necessità. Stavo per rinunciare quando mi ricordai del liquorino al mandarancio che Antonella, la mia amica spagnola, mi aveva regalato sotto Natale e che tenevo in gran conto per i momenti disperati. Quella sera una dose abbondante in un bicchiere di cristallo non me la toglieva nessuno. Al resto ci avrei pensato l'indomani.

A Bari, come un po' in tutta Italia, si sopravviveva, ma per fortuna noi avevamo il mare. Avevo spostato la scrivania e mi bastava alzare gli occhi per averlo davanti e ricaricarmi. Le giornate erano faticose, non era facile far comprendere a gente abituata a vivere all'aria aperta che non era più il caso. Che dentro bisognava stare. Asserragliati e con i sacchi di sabbia vicino alla finestra, come in una vecchia canzone. Le persone erano stanche, sfiduciate, si sentivano sole. E anche a me mancava Marietta, era impossibile vederci. Con la procura che lavorava a pieno ritmo, l'amicamia del cuore non aveva nemmeno un minuto libero. Se furti e rapine si erano ridotti al minimo, la criminalità organizzata era in fervore, pronta a soddisfare le necessità dei cittadini. Solo dopo, molto dopo, sarebbe passata all'incasso, con interessi da tagliagole o mettendo le mani su immobili e piccole o grandi imprese. Ci restavano, a me e a lei, le videochiamate la sera prima di andare a letto, almeno quelle.

E poi mi mancava Caruso. Era appena tornato, e già ci eravamo dovuti separare di nuovo. Lui a San Vito, io a Bari a rigirarmi insonne nel letto tutta la notte, desiderosa di baci e carezze e della sicurezza che sapeva infondermi. Lui non poteva sapere quante sere, forzando i divieti, avevo preso la macchina ed ero arrivata fin lì, solo per guardarlo di nascosto dalla vetrata, mentre leggeva accanto al fuoco con Buck al suo fianco. Io invece sapevo benissimo che verso l'alba, dietro la musica struggente di un sassofono che saliva dalla strada, c'era lui che mi suonava tutta la sua malinconia.

Purtroppo, tra noi erano rimaste tante cose in sospeso. Il lockdown era arrivato appena un paio di settimane dopo il ritorno di Giancarlo dalla Sicilia e non avevo fatto in tempo a dissipare i dubbi sull'allontanamento, i sospetti che dietro Humbert si celasse proprio Giancarlo, l'angoscia di un tradimento e di un'altra donna nella sua vita.

La separazione forzata e il malessere di quella situazione aleggiavano sul nostro legame, le telefonate non bastavano a colmare il vuoto e la distanza. E il mio orgoglio non aiutava. Passate l'euforia e la passione legate al suo ritorno, non ero riuscita a perdonargli la fuga nella notte, il silenzio, l'abbandono. Inoltre, le spiegazioni che Caruso aveva fornito riguardo al presunto rapimento di suo figlio erano piuttosto assurde, oltre che lacunose. E io ero pur sempre un vicequestore, per giunta della squadra Omicidi.

La quarta domenica fu quella delle Palme. La città sembrava addormentata, per le strade non girava un'anima, ma il profumo delle seppie ripiene vagava nell'aria portato dal vento. La vecchina del terzo piano ne aveva messe un paio in un tegamino di coccio e le aveva posate sullo zerbino di casa mia. La cultura del pianerottolo per fortuna sopravviveva al Covid e non aveva paura di nulla, neanche dei virus. Nel pomeriggio videochiamai mia madre, Carmela e i bambini. Per la prima volta nella mia vita, niente domenica delle Palme con la pastiera di nonna Dolò.

Il giovedì sera, di ritorno dalla questura mi fermai alla latteria per comprare la ricotta di pecora, il burro e le uova fresche. Misi a bollire il latte con il grano, candii le scorze di un paio di cedri e impastai la frolla. Trascorsi un paio d'ore di felicità tra profumi di fiori d'arancio, vanillina e zucchero a velo, e mi sedetti al tavolo a contemplare il risultato. Erano cinque, ed erano perfette. Altro che gli chef della televisione.

Il giorno dopo le avrei messe nelle apposite scatole e inviate alle persone a me più care tramite corriere. Una sarebbe rimasta a me, due erano per Esposito e Forte, una per Marietta e l'altra per Caruso. A Carmela niente, ché tanto mia madre aveva il diabete e ai ragazzini interessavano soltanto le uova di cioccolata. «Se la facesse da sola, la pastiera, se la facesse» mi ritrovai a dire ad alta voce, struccandomi davanti allo specchio.

A parte questo, si andava avanti, ma nessuno sapeva dirci quando sarebbe arrivato il nostro fine pena.

Agli inizi di giugno fummo più o meno liberi: il distanziamento sì, le mascherine anche, ma per un po' ci scordammo quello che era accaduto. Solo sui balconi, scolorite e un po' ammosciate, restavano le bandiere tricolori, silenziose testimoni di un dramma di portata mondiale.

Terrarossa

2 agosto, domenica

Minguccio Ladisa grugnì. Giove, il cucciolo di volpino che qualche mese prima aveva preso in casa, da un quarto d'ora non la smetteva di abbaiare. Si rigirò un paio di volte nel letto, gli lanciò una pianella e un paio di bestemmie, ma quello niente. Tra caldo e zanzare non era cosa di dormire, ci mancava solo il cane, pensò alzandosi e accendendo la luce. Andò nel cucinotto, riempì la ciotola di acqua e aggiunse un'altra manciata di croccantini a quelli che già c'erano. Il volpino non voleva saperne di calmarsi, ringhiava e mugolava nel cortile. Minguccio s'infilò una maglia e i pantaloni e, continuando a imprecare, afferrò una torcia e uscì sul piazzale.

ENTRATE, MI SONO IMPICCATA.

La frase scritta a lettere maiuscole con un rossetto scarlatto campeggiava sul portone verniciato di bianco della rimessa, vicino a cui Giove guaiva con insistenza. Il vecchio guardiano dell'azienda agricola Terrarossa aveva sfilato gli occhiali dalla tasca e si era avvicinato per guardare meglio.

«Impiccata! Ma che cazz' di modo di scherzare» aveva borbottato ad alta voce, inveendo contro le nuove generazioni e la loro maleducazione. Dovevano essere stati i figli del ragioniere, quei due disgraziati. Ma l'indomani mattina l'avrebbero sentito, l'avrebbero. Aveva abbassato la maniglia del portone per controllare, ma l'aveva trovato chiuso. Ancora più contrariato, si era diretto a grandi passi verso gli uffici, sul retro della masseria, per cercare la titolare e informarla dell'accaduto. Erano da poco passate le ventitré e di solito a quell'ora Suni era ancora a capo chino sui registri, a tentare di far quadrare i conti. Anche se era domenica ed era piena estate.

Certo, lui le donne non le avrebbe mai capite; forse era per questo che non ne aveva mai trovata una per cui valesse la pena di cambiare lo stato civile. Non riusciva a capacitarsi della scelta della dottoressa. Era vita quella passata a lavorare come un uomo, girando per i campi con il trattore a parlare con i braccianti? Una ragazza così fine, così delicata. Perché una cosa era la laurea in Agraria, un'altra era mandare avanti un'azienda delle dimensioni di Terrarossa, per giunta con una manodopera quasi tutta straniera.

Suni l'aveva vista nascere, l'aveva tenuta in braccio da bambina, e per lui che non aveva famiglia era come una figlia; però certe scelte no, non riusciva a comprenderle. Perché con l'eredità che le aveva lasciato il padre, Suni avrebbe potuto fare la signora. Come sua madre e sua nonna, la «padrona grande». Qualche storico dipendente alle soglie della pensione continuava a chiamarla così.

Minguccio quell'età l'aveva raggiunta da tempo, ma era rimasto là dove era nato e cresciuto, nella masseria Terrarossa, da almeno tre secoli proprietà della famiglia Digioia. Prima come fattore, poi come guardiano diurno. Ché la notte, a settant'anni passati e con una cataratta all'occhio sinistro, di vigilare non era più cosa.

L'uomo si grattò la pelata e bussò alla porta. Riprovò un paio di volte, poi abbassò la maniglia ed entrò.

«Dottoressa?» insisté.

Niente.

Attraversò un paio di stanze e si diresse verso l'ultima. Dal fondo del corridoio arrivava una luce, forse una lampada da scrittoio o un computer ancora acceso. L'ufficio di Suni era vuoto, ma Minguccio batté ugualmente la mano callosa sullo stipite. Forse la dottoressa era in bagno. Attese con discrezione, restando nel corridoio ancora qualche minuto, poi si affacciò a dare un'occhiata. Sulla sedia girevole c'era una sciarpa leggera color avorio, quasi un velo. La dottoressa non se ne separava mai, né d'estate né d'inverno. Un regalo di suo nonno, gli aveva raccontato una volta. Stava per toccarla quando lo squillo di un cellulare appoggiato sulla scrivania lo colse di sorpresa. Il cuore gli sbatté nel petto come un piccione, mentre percorreva il corridoio a ritroso per tornare nell'aia.

Che strano, pensò. La dottoressa aveva dimenticato sciarpa e cellulare. Lei, così precisa, così legata alle sue cose.

Minguccio girò intorno alla masseria in cerca di Suni. Suonò un paio di volte al portoncino dipinto di verde, sbirciò dalle finestre, ma al di là di un abat-jour acceso e di un paio di calici mezzi vuoti sul tavolino del salotto, sembrava che in casa non ci fosse nessuno. Seguì il viale d'ingresso che costeggiava il vigneto e notò l'Harley-Davidson della ragazza regolarmente parcheggiata sotto l'ulivo.

Fu allora che ebbe un brivido. Diede la colpa all'umidità della sera e all'impianto di irrigazione in funzione, ma sapeva bene che era paura. Paura di scoprire dov'era Suni e che quella scritta non fosse solo uno scherzo di cattivo gusto. Certo, c'era sempre la possibilità che fosse andata da qualche parte insieme all'ingegner Morisco, però le gambe gli tremarono lo stesso.

A pensarci bene, l'ingegnere era da un po' che non si faceva vedere. L'uomo tornò alla rimessa con Giove che tirava la catena e aveva ripreso ad abbaiare, provò ad aprire il portone per la seconda volta, poi indietreggiò di un paio di passi, raccolse le forze e con un calcio lo sfondò. Il legno cedette al primo colpo come burro e, quando Minguccio entrò, alla luce della torcia tutto sembrò essere in ordine, o meglio, in disordine come al solito: le vecchie damigiane di vimini accatastate nell'angolo, le bombole di rame per lo zolfo, la vecchia bicicletta gialla. Solo quando puntò la pila verso il fondo della rimessa, in direzione di una finestrella semiaperta, nell'ombra qualcosa oscillò

23

piano, come mosso dal vento. Un manichino forse, o uno spaventapasseri.

Quando Minguccio si accorse che la sua padroncina pendeva da una corda appesa a una trave del soffitto, si pisciò addosso e perse i sensi.

Il cellulare squillò che era passata la mezzanotte. Nel buio, la mano della commissaria Lolita Lobosco annaspò verso il comodino. Visualizzò il display: era Forte.

«Dimmi, Antò, che c'è?»

Il tono non era dei migliori, ci voleva poco a capire che la telefonata era sgradita.

«Ciao, Lolì, stavi dormènd'?» azzardò con cautela l'ispettore.

«Stavo dormendo, sì. Ch'è succèss'?»

«Una seccatura, mi rendo conto. Si tratta di un suicidio, ma il cadavere è eccellente, quindi è meglio se vieni anche tu. Il magistrato al quale è stato assegnato il caso ne ha fatto espressa richiesta.»

«Ah sì, e chi sarebbe?»

«Suni Digioia.»

«Non la conosco. Ma che è, una nuova?»

«È la vittima» precisò Forte.

«No, dico, il magistrato che ha chiesto di me, chi sarebbe?»

«Una tua vecchia conoscenza. Giorgio Monteforte.»

«Ah.»

«Eravate piuttosto intimi qualche tempo fa.»

«Intimi? Oh, ma come ti permetti?»

«Dài, Lolì, non farla lunga, per favore. Stavo sdrammatizzando. Vieni o no?»

«No, Antò, non vengo. Sono in ferie da trentasei ore, mi trovo a quaranta chilometri da Bari e per un suicidio davvero non mi pare il caso di muovermi in piena notte. Chiama il collega che mi sostituisce.»

«Vabbè, dài, lascia perdere, tanto ho capito. Stai a San Vito co' quello.»

«Appunto. Mè, buonanotte.»

«Buonanotte.»

«Uffa!» Lolita sbuffò, girandosi sul fianco nella speranza di riprendere sonno, o almeno di svegliare l'uomo che dormiva con lei.

«Chi era?» mugolò Caruso.

«Ma niente, il solito rompicoglioni.»

«Forte?»

«Sì.»

Caruso l'attirò a sé e le accarezzò le spalle nude. «L'ispettore Forte è geloso. Devo affrettarmi a sgombrare il campo, o mi toccherà guardarmi le spalle.»

«Sgombrare il campo... che significa?»

«Ma niente, figurati.»

Giancarlo le affondò il viso tra il collo e la scapola e iniziò a baciarla. Ma Lolita faceva la poliziotta: raccolse l'indizio e si scostò.

«No, scusa, e dove vorresti andare?» domandò sospettosa.

«Dicevo per dire. Vieni qui, dài, ho ancora voglia di te.»

«Te lo scordi, e poi che significa "niente"? Carù, cosa stai combinando?» lo incalzò lei, tirandosi a sedere e accendendo il faretto sul comodino.

Giancarlo mise i palmi sugli occhi per proteggersi dalla luce. «Oh, ma che è, un interrogatorio? A quest'ora poi, ti rendi conto?»

«Perfettamente. Allora, che è 'sta storia?»

«Senti, amore mio, ne parliamo domattina.»

«Nòne! Ne parliamo *adesso*. Dov'è che avresti intenzione di andare?»

L'uomo sospirò. Che femmina impossibile si era andato a cercare.

«A Manfredonia» ammise a bassa voce.

«A Manfredoniaaa?!» gridò Lolita.

«Sono solo centotrenta chilometri da Bari. Non mi trasferisco in Australia» minimizzò Caruso. Ma non sarebbe servito a nulla, avrebbero fatto mattina, lo sapeva già.

3 agosto, lunedì

L'acqua verde smeraldo nel punto preciso in cui finiva Cozze e cominciava Polignano era da sempre l'unico elemento in grado di farle dimenticare le cose della sua vita che non funzionavano.

Stesa sul lettino del Coco Beach, il lido dove da anni tornava ogni estate, Lolita riusciva a liberarsi dell'idea di Caruso che stava per andarsene, dei problemi economici di sua sorella, di suo nipote che andava male a scuola, degli anni che passavano in fretta e di una nuova ruga all'angolo delle labbra. In quello scorcio di paradiso le preoccupazioni si squagliavano come un gelato al sole, e rimanevano solo il mare, l'abbronzatura e il suono di un sax in sottofondo. Voleva godersele tutte, le due settimane di ferie, al resto ci avrebbe pensato dopo. Certo, se avesse imparato a spegnere il telefono, quel momento magico sarebbe durato fino al tramonto, invece Marietta, con un tempismo perfetto, la chiamò mentre stava per andare a fare un tuffo.

«Lolì.»

«Eh.»

«Madò, Lolì, non fare quella voce. Lo so che sei in ferie, e magari stai pure al mare, ma qui a Bari è successo un casino e sarebbe il caso che rientrassi in servizio.»

Lolita sbuffò, si risedette sul lettino e inforcò gli occhiali da sole.

«Dimmi, Mariè, di che si tratta?»

26

«La ragazza di ieri sera.»

«Il suicidio?»

«Sì. Dai primi rilievi sembrerebbe che la Digioia si sia uccisa, ma la famiglia ritiene la cosa impossibile.»

«Ho capito. Il medico legale che dice?»

«Che a un primo esame sembrerebbe un suicidio. Ma ti pare che una che si vuole ammazzare prima si mette profumo e rossetto e poi si infila una corda intorno al collo?»

«È abbastanza anomalo, sì. L'utilizzo di rossetto e profumo fa pensare a un appuntamento. Io comunque sono in ferie, appunto. Hai già parlato con Maiullaro? È il vicequestore che mi sostituisce.»

«Sì sì, Maiullaro. Per carità, Lolì, sarà pure bravo, ma quello è giovane, non ha esperienza. Mica c'ha l'occhio tuo, la formazione, le conoscenze. Capiscimi!»

«Uh, Mariè, quante storie. Anche noi eravamo giovani, senza esperienza e femmine per giunta, eppure abbiamo avuto le nostre opportunità per dimostrare quanto valiamo. Lascia perdere i pregiudizi, Maiullaro è bravo. Ti ricordi il caso del russo ammazzato a Libertà? Ci ha messo tre giorni a risolverlo. E poi scusa, che vuol dire le "conoscenze"?»

«Vuol dire, te lo spiego io, che la vittima è abbastanza nota, e sai meglio di me come funziona in città. I soliti ambienti trasversali, insomma. Se mi raggiungi è meglio, non mi far dire altro al telefono.»

«Ho capito. Chi ci sta in mezzo?»

«No, ma che c'entra. È un'idea mia.»

«Mariè, non prendiamoci in giro.»

«Senti, Lolì, niente di concreto, ma la vittima era intima con il cugino di Nicolamio.»

«Intima quanto?»

«Uhhh! Che fai, vieni?»

«Che domande, certo che vengo.»

«Quanto ti serve per essere pronta?»

«Cinque minuti e parto, il tempo di infilarmi una cosa. Te l'ho detto che sono al mare, no?»

«Sì sì, ho capito. Diciamo una mezz'ora, quindi. Ti aspetto in procura.»

«Un'ora, dài, magari c'è traffico.»

Lolita passò prima dalla questura. L'atrio era affollatissimo, prima o poi sarebbe stato necessario spostare l'ufficio immigrazione da un'altra parte.

Salì a salutare il questore e bevve un caffè con Esposito e Forte. La situazione sembrava abbastanza tranquilla, anche se in città si faceva un gran parlare dell'accaduto. La vittima, Assunta Digioia, detta Suni, era molto conosciuta. Di ottima famiglia, di quelle con la barca al circolo della vela e il palco riservato al Petruzzelli per l'intera stagione. Faceva parte della generazione di imprenditori agricoli nati tra gli anni Ottanta e i Novanta, competenti e iperconnessi, orientati verso i bisogni del consumatore e con la mente aperta alle app e al digitale. Colti e informati, si muovevano tra l'agricoltura e le nuove tecnologie per migliorare la sostenibilità e la gestione aziendale, la tecnologia e la biotecnologia. L'immagine dell'agricoltore con la zappa in mano era un'illustrazione sbiadita da vecchi sussidiari del secolo passato.

A questo si aggiungeva il fatto che ormai un imprenditore agricolo su quattro era donna. Le ragazze mostravano una particolare sensibilità per la tutela dell'ambiente e attenzione al sociale: dalle attività legate all'educazione alimentare e ambientale alle fattorie didattiche, fino ai percorsi rurali di pet therapy.

Poi c'era la frangia più green, affollata di romantici, visionari e No Cap. Quelli che si battevano contro il caporalato per la riforma del mercato agricolo, per una certificazione etica della filiera che partiva dalla tracciabilità del prodotto. Dalla terra fino allo scaffale della piccola o grande distribuzione. Suni era una di loro. La sua lotta in difesa degli schiavi sfruttati nella raccolta dei pomodori e la resistenza contro le fredde logiche del profitto le avevano regalato l'appellativo distratto e poco riconoscente di Regina dei pomodori. Lei, con una scrollata di spalle e una risata, se ne fotteva altamente. Almeno così pareva. Salvo infilare la testa in un cappio e farla finita.

Nicola Morisco lasciò l'ufficio di Marietta nello stesso istante in cui la commissaria varcò la porta. Pallido, un po' sudato, il sigaro infilato nel taschino della camicia e qualche chilo in più dell'ultima volta. Abbozzò un saluto defilandosi alla svelta. La commissaria lo seguì con lo sguardo, poi si rivolse a Marietta.

«Mammamia, Nicola tiene 'na faccia, oggi. Avete litigato?»

«Ma no, figurati. È sotto pressione per la storia di ieri sera. Ti ho detto, mi pare.»

«Qualcosa, ma non ci ho capito granché. È un suicidio, sì o no?»

«Così sembra.»

«E la vittima era l'amante del cugino. È così?»

«Siediti prima. Mi fai venire l'ansia se resti sulla porta.»

«Come vuoi. Mi metto qui allora» acconsentì Lolita sprofondando nel divano di pelle color burro e accavallando le gambe già abbronzate. «Stanotte ho dormito poco.»

«Come mai?»

«Lasciamo perdere. Dimmi della Digioia, piuttosto.»

«Ti faccio portare un caffè dal bar? Una cosa fresca?»

«Mariè, ti prego! Vai al sodo. Sono in ferie e vorrei tornarmene al mare.»

Marietta sospirò. «Lolita, ascolta, so quanto ti costa quello che sto per chiederti, ma preferirei che tu rientrassi in servizio. Te lo domando come favore personale. Si tratterebbe solo di una settimana, il tempo di far calmare le acque.»

Lolita si fece vento con una mano, in quell'ufficio si soffocava. Ci mancava solo Marietta con le sue richieste.

«Continuo a non capire. A te non posso dire di no, ma una settimana intera ad agosto per indagare su un suicidio non ti sembra un tantino eccessiva? Di solito vanno via un paio di giorni al massimo.»

«In altre circostanze è così, ma questa è una situazione delicata. Se ti metti tranquilla ti spiego tutto.»

«Hai ragione, scusa. È che stanotte ho litigato con Caruso e sto nervosa.»

«Figurati se non l'avevo capito. Che ha fatto adesso?»

«Non mi dice le cose.»

«Sai che novità.»

«Stavolta è peggio. Va a fare il commissario a Manfredonia e lo scopro per caso. E tieni presente che ancora non mi ha detto perché era sparito in quel modo.»

«Ah, per quello potrei aiutarti. Se lo ritieni opportuno chiamo mio cugino Peppino. Lo sai che fa il piemme a Palermo.»

«Ah già. Davvero lo faresti, Mariè?»

«Per te? Certo, che ci vuole? Più tardi lo chiamo. Adesso però concentrati su quello che ti sto per dire.»

«Spara.»

Marietta versò dell'acqua in un bicchiere, ingoiò una pastiglia e si sedette accanto all'amica sua.

«Lolì, io Suni Digioia la conoscevo bene.»

«Ah sì, e da quando?»

«Diciamo da quando sto con Nicolamio. Cinque anni, più o meno. Lei aveva una relazione con il cugino di Nicola, Nicola piccolo, l'ingegnere.»

«Non lo conosco.»

«Non ha importanza. Piuttosto evita di interrompermi e segui il mio ragionamento.»

«Quanto la fai lunga, Mariè.»

«I due Nicola sono legatissimi, figli di fratelli. Pochi mesi di differenza, cresciuti nello stesso stabile, si somigliano perfino. Per distinguerli, in famiglia li chiamano Nicola grande e Nicola piccolo, e così fanno i compagni di scuola. Poi uno si iscrive a Giurisprudenza e l'altro a Ingegneria, la somiglianza svanisce ma continuano a frequentarsi anche dopo essersi sposati entrambi.»

La Lobosco alzò il sopracciglio destro. «Un bel quadretto. La vittima quando entra a farne parte?»

«Una decina di anni fa. Lei e Nicola Morisco junior si conobbero in un maneggio. Lui aveva accompagnato i figli. Non conosco i dettagli, ma so che in breve tempo e nonostante la differenza di età tra i due scoppiò un amore travolgente.»

«Te lo ha raccontato lei?»

«No, ci mancherebbe. Me lo ha detto Nicola. Suni era una ragazza molto riservata, di poche parole.»

«Quando l'hai conosciuta?»

«Durante il nostro primo anno di relazione. Quando uno dei due Nicola aveva bisogno di un alibi ricorreva al cugino. Si inventavano convegni, raduni di pesca o di moto. Abbiamo fatto qualche weekend insieme.»

«Dove?»

«In costiera un paio di volte, in Toscana e anche in Sicilia, mi pare.»

«E io dov'ero in tutto questo?»

«Ma che ne so, forse a correre dietro a Giovannimio.»

Lolita rimase in silenzio, poi si alzò e andò alla finestra. Il ricordo di Giovanni faceva ancora male. Provò ad aprirla per prendere aria, ma era blindata. Di fronte c'era il cimitero di Bari: cipressi e tombe a perdita d'occhio. Tornò sul divano.

«E poi?»

«E poi abbiamo diradato. Nicolamio si è separato e non servivano più alibi. Non ti nascondo che mi sono sentita sollevata, anche se ogni tanto abbiamo continuato a vederci tutti e quattro. L'ultima volta un anno fa, credo.»

«Come mai?»

«Erano noiosi. Lei sempre taciturna, lui un po' depresso. Litigavano spesso anche davanti a noi. Era imbarazzante, ecco.»

«Perché litigavano?»

«Le solite storie: promesse disattese, esasperazione. Credo che all'inizio ci fosse un progetto di vita insieme, ma gli strappi in certe situazioni non sono mai facili da riparare. Nicola ha un figlio con una grave disabilità causata da un incidente, e sua moglie qualche anno fa è caduta in depressione. Credo che restare con la sua famiglia sia stata una decisione dettata dalla responsabilità.»

«Pensi che la Digioia si sia uccisa per questo?»

«Non so cosa pensare. Mi pare assurdo, Suni era una ragazza in gamba, un'imprenditrice serissima e molto preparata. Impegnata, viaggiava parecchio per lavoro. Anche all'estero.»

«E allora?»

«Vai a capire cosa passa nella testa della gente, Lolì.»

«Prova a riflettere, magari c'è qualche episodio che potrebbe aiutarci a capire il motivo di questo gesto estremo.»

«Forse sì, hai ragione. Qualche tempo fa ci siamo incontrate a Torre a Mare da Gaetano, il parrucchiere. C'era da aspettare e abbiamo fatto quattro passi fino al porticciolo. Suni si è lasciata andare a qualche confidenza: mi ha raccontato che era stanca, che il rapporto con Nicola era "in perdita" e che aveva provato tante volte a chiudere la relazione, ma non c'era riuscita. Nicola dipendeva da lei, sosteneva di non poter vivere senza Suni e minacciava di farla finita se lo avesse lasciato.»

«Un ricatto emotivo.»

«Credo di sì.»

«Mi pare un po' poco per un suicidio. Anche perché è un gesto che non sembra in linea con una che parla di sentimenti come fossero bilanci aziendali.»

«Può essere, ma sai, a volte subentra lo sfinimento. Basta una lite, dei conti che non tornano, qualche problema in azienda.»

«Sembri ben informata. Te le ha dette Nicola, queste cose?» indagò la commissaria. Lei Nicola Morisco non era mai riuscita a farselo piacere e non si dava pena di nasconderlo.

«Ma no, sono solo ragionamenti che abbiamo fatto insieme.»

«Immagino.»

«Lolì, non è come pensi tu. Nicola è molto provato. Vuole bene al cugino e ne voleva a Suni.»

«Certo, figurati. Quello che non riesco a comprendere è la vostra preoccupazione. Farmi rientrare addirittura dalle ferie per un suicidio. O c'è qualcosa che ancora non mi hai detto? Magari che lei lo ha lasciato e lui l'ha uccisa per rabbia?»

«Ma che dici, sei pazza?! Nicola non è il tipo. Ad ogni modo ti ho detto tutto, manca solo qualche piccolo dettaglio.»

«Appunto.»

«Ma no, niente di concreto ai fini dell'indagine. Riguarda l'omonimia, i giornalisti, i pettegolezzi che si scateneranno in città. Nicola e suo cugino hanno nome, cognome e anno di nascita uguali. Ti rendi conto?»

Lolita scrollò le spalle con sufficienza. «Ma figurati, non vedo il problema, sono due persone diverse.»

«Ma questo lo sai tu e lo so io. E gli altri?»

«E chissenefrega? Il giudizio degli altri non mi pare sia mai stato un problema per te.»

«Ma cosa c'entro io, Lolì, qui non si tratta di me. Il problema è Nicola, lo capisci o no? Ha presentato domanda alla procura generale per il ruolo di procuratore e non si può certo permettere uno scandalo. Cerca di capire.»

«Capisco. E quindi cosa dovrei fare?»

«Niente. Solo seguire il caso prestando attenzione che non vengano confuse le persone coinvolte.»

Lolita guardò Marietta con aria interrogativa. «Tutto qui?»

«Tutto qui, sì. Perché, cosa credevi?»

«Ma no, niente. Figurati.»

«Lolì, te l'ho già detto: io e te siamo amiche perché non ci scordiamo mai chi siamo e che cosa facciamo. Verità e giustizia sempre, senza sconti a nessuno.»

«Brava. E mo' fammi andare, ché ho lasciato la borsa del mare sul lettino.»

«Come sarebbe, te ne vai? E poi?»

«E poi torno in questura. C'è altro?»

«No no, figurati.»

Lolita temporeggiò, si avvicinò per abbracciarla. C'era qualcosa di strano nello sguardo dell'amica, qualcosa che sembrava turbarla. «Allora vado» ripeté.

«No, aspè.» Marietta la trattenne per la camicia, la commissaria non si era sbagliata.

«Che c'è, che altro?»

«Non lo so, Lolì, è solo una sensazione.»

«Ti riferisci a Suni?»

«Sì.»

«Che sensazione?»

«Magari sbaglio e sono suggestionata perché la conoscevo.»

«Non ti preoccupare, dimmi. Qualsiasi dettaglio può essere importante, faremo tutte le valutazioni del caso.»

Marietta si tormentò le mani. Sfilò il brillante e lo rimise al dito più volte, bevve ancora un po' d'acqua. «Forse hai ragione tu. Non credo che Suni Digioia si sia tolta la vita. Anzi, ne sono sicura. Aveva troppi progetti. Parti da questo e dalle mie sensazioni.»

Lo disse d'un fiato, poi si sedette alla scrivania, sollevò un faldone tra quelli che continuavano ad accumularsi e rientrò nel ruolo che le competeva.

Lolita annuì, le mandò un bacio con la punta delle dita, si chiuse la porta alle spalle e chiamò l'ascensore.

Mentre percorreva la litoranea, la voce di Caruso riempì l'abitacolo.

«Sei sparita, baby. Ti ho cercato in spiaggia.»

«A Cala Cavallo c'era troppa gente, sono andata a Cozze.»

«Sono venuto anche lì. Michele ha detto che non c'eri.»

«Ho avuto un'urgenza di lavoro e sono corsa a Bari.»

«Stai tornando?»

«Sì, ma solo per prendere la mia roba. Devo interrompere le ferie, il suicidio di stanotte potrebbe rivelarsi un omicidio.»

«Addirittura? Questa non ci voleva, mi dispiace.»

«A me no.»

«Dobbiamo parlare, Lolita.»

«Cos'altro c'è da dire? Per me puoi andartene a Manfredonia oggi stesso.»

La voce di Caruso si spense. «Perché fai così? Non riesco a capire il tuo atteggiamento.»

«Ah no? Non credi che avrei dovuto essere informata dei tuoi programmi?»

«Infatti te lo avrei detto.»

«Non mi pare tu lo abbia fatto e ormai è troppo tardi.»

«Ma perché? Comincio a settembre, non domani.»

«Appunto. Siamo ad agosto, manca meno di un mese. Dovevi dirmelo il giorno stesso in cui hai preso la decisione, o ancora prima. Invece l'ho scoperto per caso. Per una telefonata di Forte, figurati.»

«Posso spiegarti. Parliamone, dài.»

«Oggi non ho tempo.»

«Domani.»

«Neanche domani avrò tempo.»

«Dopodomani.»

«Non voglio vederti più.»

Caruso contò fino a tre, poi perse la pazienza. Non era un periodo facile e i capricci di Lolita non aiutavano.

«Adesso basta, smettila di fare la bambina! Se c'è un problema si affronta, è ora di finirla con questo atteggiamento infantile. Se Esposito e Forte sono disposti ad accettare tutto da te, io no.»

«Ah sì, infantile? Cosa aspetti allora? Smamma. E poi cosa cazzo c'entrano Esposito e Forte? Ho una relazione con loro, per caso?»

«Lo sai benissimo che c'entrano. È anche colpa loro se credi di avere sempre ragione.»

«Ma che stai dicendo?!» urlò la commissaria, prima di interrompere la chiamata. Caruso non si doveva permettere, che non si doveva permettere.

Mise la freccia e accostò per calmarsi un attimo. Poi prese il telefono, fece scorrere la rubrica fino a GIANCARLO CARUSO e bloccò il contatto.

Le parve un gesto definitivo, quasi liberatorio, e si sentì subito meglio. Abbassò la capote, si mise un panama e gli auricolari, e telefonò al professor Introna.

«Lolita, come stai?»

«Ciao, prof, travolta come al solito. E tu? Riusciamo a vederci in istituto tra un paio d'ore?»

«Stavolta no, mi dispiace. Sono in vacanza in Grecia con la famiglia. È urgente?»

«In Grecia, beato te! Tu pensa che io sono dovuta rientrare dalle ferie nel giro di quarantott'ore.»

«Accidenti. Di che si tratta?»

«Un suicidio, una ragazza. Si è impiccata.»

«Temi che sia una messinscena?»

«È troppo presto per dirlo, ma contavo su di te.»

«Se hai bisogno di un riscontro per un referto, scrivimi quando vuoi. Siamo in barca tutto il giorno, il telefono spesso non prende, ma ti rispondo appena posso.»

«Lo farò, grazie, prof. Buona vacanza.»

«Ciao, Lolita, aggiornami.»

Rimase ferma nella piazzola senza decidersi a rimettere in moto. Improvvisamente le era caduta addosso tutta la stanchezza di quei mesi infiniti.

Intorno alle diciassette di quello stesso pomeriggio, la commissaria salì al primo piano dell'istituto di Medicina legale e chiese di Latorraca. L'anatomopatologo che quella mattina aveva eseguito l'autopsia la ricevette nel suo studio, a mani giunte.

«Dottoressa, prego, prego, si accomodi.»

«Grazie.»

«Immagino sia qui per l'esame autoptico effettuato sul corpo di Assunta Digioia.»

«Esattamente. Cosa può dirmi in merito alla causa del decesso?»

«A una prima analisi la morte della ragazza sembra essere sopraggiunta in pochi minuti per un collasso circolatorio dovuto all'occlusione delle carotidi e delle vertebrali. Questo ha causato un'anossia cerebrale con immediata perdita di coscienza.»

«Capisco. Secondo lei si tratta di suicidio o di altro?» chiese Lolita, abbassando la voce. La porta della stanza era rimasta aperta e in corridoio c'era gente.

Per un attimo Latorraca sembrò cadere dalle nuvole, poi sempre a mani giunte si affrettò a spiegare.

«Vede, dottoressa, l'omicidio per impiccamento è un'evenienza molto rara, la vittima deve essere innanzitutto posta in condizione di non opporre resistenza e di solito sul corpo si rilevano lesioni estranee al meccanismo dell'impiccamento. Mi rendo conto che per deformazione professionale lei è portata a vedere un delitto dietro ogni morte violenta, eppure con un quadro autoptico come questo il suicidio è la spiegazione più ricorrente.»

«In questo caso l'unica?»

«Diciamo la più probabile. Naturalmente bisognerà comparare gli esami con i rilievi ambientali effettuati sul luogo del ritrovamento del cadavere, ma come lei sa, quello non è di mia competenza.»

«Certo, certo. La ringrazio.»

La Lobosco scese in fretta i gradini dell'istituto, raggiunse il cortile alberato e sospirò di sollievo. Quell'uomo la metteva a disagio.

Dall'istituto al lungomare c'era una bella passeggiata e, nonostante il caldo e i tacchi, Lolita si avviò. Dopo i mesi di inattività, la città stava riprendendo lentamente la solita routine confusa e colorata, e a parte poche limitazioni residue non sembrava esserci differenza con la vita precedente la pandemia. Per un attimo pensò di passare a salutare sua madre e Carmela, ma la prospettiva delle immancabili lamentele della sorella la fece desistere. Meglio dedicarsi a qualche acquisto sfruttando le svendite in alcuni negozi: un paio di sandali di cuoio, un bikini verde foglia, una sottoveste di seta turchese. E con un pollo arrosto dalla rosticceria di via Imbriani e un'insalata di pomodori avrebbe risolto perfino la cena.

Una volta a casa, però, nel silenzio del suo attico al quinto piano, a Lolita salì la malinconia per la storia d'amore con Caruso. Per il tempo di un mese era sembrata per sempre, ma passata la luna di miele aveva cominciato a mostrare più buchi di una fetta di Emmental svizzero.

Quella sparizione misteriosa nel dicembre precedente, per esempio. Caruso era ritornato verso metà febbraio, dopo più di due mesi di assenza, senza aver mai dato spiegazioni sufficienti.

Aveva trascorso la prima settimana dal suo arrivo in uno stato di torpore dal quale si scuoteva solo per amarla. Nel buio della stanza, Lolita avvampò al ricordo di quegli amplessi furiosi in cui Caruso si aggrappava a lei come un naufrago a una zattera. Certo, in quello non era cambiato, ma immediatamente dopo rispondeva alle sue domande in maniera astratta, quasi impersonale, come se stesse raccontando scene tratte da un film noiosissimo. Senza tener conto che Lolita era una poliziotta e che, se qualcosa non tornava, incalzava e interrogava anche nella vita privata. Negli ultimi mesi, tessera dopo tessera, attraverso quei racconti scarni, si andava componendo il mosaico della sua misteriosa fuga. Ma alla storia mancava ancora un pezzo decisivo, senza il quale il racconto appariva privo di senso.

Mentre era stato piuttosto prodigo di dettagli nel descrivere le sue giornate a Palermo – lasciando intuire che aveva dovuto trattare la liberazione del figlio con due fratelli che anni prima aveva arrestato e fatto condannare, e che una volta usciti dal carcere avevano deciso di vendicarsi –, man mano che avanzava nella storia Caruso si faceva più vago. Nonostante le molte parole, il finale della vicenda appariva nebuloso. A lei, che di indagini si occupava ogni giorno, sembrava mancasse il tassello più importante. Chi erano davvero quei due, e soprattutto cosa avevano voluto in cambio della libertà del ragazzo? Non potevano essere due mezze tacche mafiose, se erano arrivati a concepire e realizzare un'azione così clamorosa contro un funzionario di polizia. Insomma, l'intera storia era troppo incompleta per essere credibile.

In una di quelle serate che assomigliavano sempre più a sedute terapeutiche, Lolita aveva tenuto testa a uno stanco Caruso sostenendo che due malavitosi in cerca di vendetta contro

38

un poliziotto che abita a mille chilometri di distanza glielo ammazzano il figlio, piuttosto che rapirlo. Dal suo punto di vista
era meno rischioso.

«A meno che non sapessero che tu non li avresti mai
denunciati. Si rapisce per ottenere un riscatto, non sempre
in denaro. Cosa volevano da te?» lo aveva incalzato cercando di metterlo all'angolo. Ma quando l'istinto da sbirra
di lei prendeva il sopravvento, trasformando quella che era
cominciata come una chiacchierata intima in un vero e proprio processo, lui si irrigidiva, dribblava le domande, non rispondeva. Dopo un paio d'ore di interrogatorio estenuante,
il poco che riuscì a estorcergli fu che per salvare suo figlio
era stato costretto a distruggere le prove raccolte in un'indagine parallela che aveva condotto anni prima. Un'indagine grossa durante la quale era stata commessa una forzatu-
ra. Cos'era stato costretto a cedere a quegli uomini non era
dato sapere.

Tenendo a bada la sua impulsività e sotto shock per quello
che stava accadendo al mondo intero, Lolita aveva deciso di
andare oltre evitando di insistere. Intuiva che il suo compagno aveva un grumo che lo opprimeva all'altezza dello ster-
no, ma che ancora non era pronto a parlare. C'era una porta
chiusa che Caruso non si decideva ad aprire, dietro la quale
aveva nascosto la verità e i demoni che lo rincorrevano da
molti anni. Era una porta che si apriva dall'interno e solo lui
poteva farlo. Aveva deciso di dargli tempo rifugiandosi con
lui in una bolla, lasciando fuori dubbi e tensioni. Per un paio
di mesi avevano galleggiato, fino alla notte prima e a quella
rivelazione: Manfredonia. Caruso stava pensando di trasfe-
rirsi e gliel'aveva tenuto nascosto. Da quanto stava fingendo?
E perché adesso scappava anche da lei?

Il display del cellulare di servizio si illuminò. Era Giancarlo.
Cavolo, aveva dimenticato di bloccarlo anche lì. Lolita lesse il
messaggio di malavoglia.

Torna a San Vito, devo parlarti.
Ripose il telefono sul comodino, ma si illuminò di nuovo.

Una mail di Marietta. CARUSO, l'oggetto. Lolita si girò dall'altra parte e provò a dormire.

Alle due di notte si arrese, non c'era modo di prendere sonno. Quel disgraziato di Caruso rischiava di farle venire una cirrosi. La mail di Marietta riportava alcune informazioni arrivate in via riservata da Palermo. Lesse e rilesse, poi si tirò su dal letto. Non si vestì nemmeno, uscì di casa con la sottana e le infradito, s'infilò in macchina e guidò fino a San Vito.

Le luci in casa erano accese. Neanche Caruso riusciva a dormire.

Spinse il cancello senza fare rumore e salì i pochi gradini della veranda. Lo sorprese di spalle a guardare il mare con un sigaro tra le mani. Le volute di fumo disegnavano strani ghirigori nel cielo blu notte. Sul tavolo di vimini c'era un quaderno aperto, pagine e pagine fitte della grafia appuntita che aveva imparato a conoscere dai suoi pizzini. Sospirò. Da quanto tempo non gliene scriveva uno? Realizzò d'un tratto quanto erano cambiate le cose tra loro due dal primo giorno a San Vito.

Caruso finse di non averla sentita e continuò a darle le spalle, così lei dovette raggiungerlo e cedere al sangue che le faceva venire voglia di baciarlo, di scompigliargli i capelli, di abbracciarlo forte. Non ricordava di aver mai provato per nessun altro uomo un'attrazione così carnale e violenta.

Lui la trattò con freddezza, spense il sigaro, la baciò per pochi istanti e si ricompose.

«Speravo venissi. Hai un po' di tempo da dedicarmi? Perché la storia che ti devo raccontare è piuttosto lunga.»

«Alle nove devo essere in ufficio» replicò lei con altrettanta freddezza. «Dovrebbe bastare.»

«Basterà.»

«Aspetta.» Entrò in casa a cercare uno scialle, riempì due calici di vino rosso e si accomodò sul divanetto di rattan. «Bevi» disse, strafottente. «Il vino ti schiarirà le idee.»

Caruso annuì. Aveva finalmente deciso di vuotare il sacco.

E ne uscì di roba, da quel sacco. Peccato che a rovinare l'effetto sorpresa fosse arrivata un paio d'ore prima la mail di Marietta. Da una rapida indagine era emerso un piccolo neo nella carriera del vicequestore Caruso a Palermo: un provvedimento disciplinare, a seguito di una denuncia da parte dei legali di due noti pregiudicati che lui aveva arrestato, per utilizzo di sistemi illegittimi nel corso delle indagini. Nient'altro si sapeva a proposito di questi sistemi illegittimi e il vicequestore Caruso ne era uscito piuttosto bene. I fratelli Macaluso erano stati colti in flagranza di reato: uno scambio di eroina con un clan di mafiosi nigeriani aveva condotto al sequestro di parecchio materiale che aveva dimostrato il legame fra le due associazioni. Un vero e proprio patto di spartizione del potere: ai palermitani restava il dominio del territorio attraverso le estorsioni, il gioco d'azzardo e il controllo delle piazze di spaccio, mentre ai nigeriani era stata concessa la gestione della prostituzione e del traffico di droga, nei ghetti e non solo. Insomma, si era trattato di un'operazione di polizia che aveva prodotto risultati importanti e che, nonostante l'abuso di potere esercitato da Caruso, gli era valsa il riconoscimento dei suoi superiori.

In breve tempo, però, gli avvocati dei due erano riusciti a dimostrare che le intercettazioni erano illegali poiché acquisite prima che il magistrato concedesse l'autorizzazione. Era stato quello a inguaiare il vicequestore, dal suo punto di vista un piccolissimo cavillo. Il colpo di grazia era arrivato qualche settimana dopo con l'improvvisa confessione di un collaboratore esterno del commissariato, il tecnico informatico che aveva permesso a Caruso di installare un trojan nel telefono di uno degli imputati. Sulla spontaneità di quella confessione nessuno ci avrebbe giurato, ma ormai era evidente che l'intera operazione era viziata dal sospetto che fosse fondata su un'iniziativa personale e persecutoria da parte di un funzionario di polizia. Tutto il castello accusatorio, sfilato quel mattone, rischiava di crollare.

I legali dei Macaluso erano stati astuti. Avevano messo sul

piatto dello scambio il clamore che avrebbe generato la notizia e il discredito che ne sarebbe derivato nei confronti di polizia e magistratura, contro la promessa di astenersi da qualsiasi rivelazione sull'operato piuttosto discutibile di un alto funzionario dello stato, a patto che la procura facesse cadere le accuse minori a carico dei loro clienti.

Caruso fornì una versione dei fatti abbastanza simile a quella riportata nella mail, ammise le forzature accettando il conseguente trasferimento a Padova. Eppure alcune cose continuavano ad apparire quantomeno anomale.

«Mi stai parlando di una trattativa fra procura e intermediari dei pregiudicati? Di funzionari delle istituzioni collusi? Non ti sembra eccessivo?»

«Di cosa ti stupisci? Non mi pare che a Bari siate messi meglio con la magistratura. Stai seguendo le cronache, no? Qualcuno ha lasciato aperti i tombini delle fogne.»

«Lascia perdere Bari e non divagare.»

«Ennò, Lolita, Bari è come Palermo. Parliamo di gente astuta e capace di condurre una trattativa come una partita di poker. Si erano esposti con un azzardo pericoloso. O magari non era neanche un azzardo. Forse, e dico forse, erano stati rassicurati da qualcuno che ne aveva il potere sul fatto che l'indagine sarebbe stata chiusa. Infatti il gup non ha potuto fare altro che disporre la scarcerazione dei due criminali.»

«Cosa volevano da te? Cosa avevi di così importante per loro?»

«Quello che volevano non era più in mio possesso. Ma sapevano che avrei potuto procurarmelo.»

«Di cosa si trattava? Dei file con le intercettazioni?»

Giancarlo fece una faccia strana. Quella donna ne sapeva una più del diavolo. «Cosa ne sai dei file?» avrebbe voluto chiederle.

«No, sarebbe stato impossibile ottenerli. Erano custoditi in procura, ma non sarebbero serviti a nulla. Le intercettazioni erano state dichiarate prove inammissibili perché acquisite in maniera illegittima.»

Lolita gli si avvicinò minacciosa puntandogli un dito contro. Era stanca di certi giochetti.

«Caruso, ti rifaccio la domanda. Cosa volevano da te?»

Con dolcezza le prese la mano, le aprì il palmo e lo baciò. «Una pistola.»

4 agosto, martedì

In questura regnava il caos. Ancora non erano trapelate indiscrezioni sull'autopsia, ma Bari brulicava già di pettegolezzi. Era stata una televisione privata ad affermare che quasi certamente Suni Digioia era stata uccisa, sulla base di cosa non si capiva. Il questore convocò Lolita intorno alle dieci, l'ombra livida stampata sul suo viso non prometteva nulla di buono. Il fatto che non commentasse la sua abbronzatura o altre facezie, peggio ancora.

«Buongiorno, questore, mi ha fatta chiamare?» lo salutò lei.

«Siediti, Lolita.»

«Grazie.»

Savella ripose un fascicolo, chiuse il cassetto e venne subito al dunque. «Ci sono novità sul caso Digioia? Illustrami gli sviluppi dell'indagine. Abbiamo una certa premura poiché, come ti sarai resa conto, è una faccenda delicata.»

Lolita sospirò e cercò di mantenersi paziente. Non capiva tutta quella muina per un suicidio, per quanto doloroso.

«Mi scusi, questore, ma io fino a ieri mattina ero in ferie, sono rientrata su richiesta del procuratore capo per un caso che ufficialmente è un suicidio. Intuisco dal putiferio scatenato dal servizio di Telemare che possa trattarsi di ben altro, lei però deve darmi il tempo di raccogliere gli elementi, di visionare il referto del medico legale e di...»

Savella la interruppe con un gesto di stizza. «Lobosco, stammi a sentire. Io sono di Termoli e questa Digioia non ho idea di chi sia stata in vita, ma è da avantieri notte che ricevo chiamate dai piani alti, anzi altissimi.»

«Per esempio?»

Il questore prese tempo e si chinò a firmare un paio di documenti che un agente gli aveva portato in quel momento, poi tirò fuori un fazzoletto di batista con le iniziali ricamate in un angolo e si deterse le goccioline di sudore dalla fronte. Lolita si accorse che era pallido.

«Si sente bene?»

«Sì sì, è il caldo.»

«Allora?» incalzò la commissaria, impensierita dall'accenno alle telefonate.

Savella allargò le braccia. «Che ti devo dire, figlia mia, mi hanno telefonato personaggi di ogni sorta: politici, magistrati, un vescovo. Ho ricevuto una chiamata perfino da un amico del Csm.»

Lolita sobbalzò, ma riuscì a dissimulare la sorpresa facendo cadere il cellulare. «Il Csm, addirittura. Magari la Digioia aveva un parente ai piani alti e non lo sappiamo. E cosa dicono riguardo al caso, hanno informazioni che possono aiutarci?»

«Pettegolezzi, più che informazioni. E tutti convergono su un'unica figura.»

A Lolita venne un brivido. Forse i timori di Marietta non erano del tutto infondati.

«Quale figura?»

«Il dottor Nicola Morisco, della procura. Pare avesse una relazione con la deceduta. Una lunga relazione, dottoressa.»

Dottoressa. Il questore aveva cambiato registro, segno di grande preoccupazione.

Lolita si alzò a chiudere la porta che l'agente aveva lasciato aperta.

«Non è esattamente così. Le è stata data un'informazione fuorviante.»

Savella la guardò stupito. «Dottoressa Lobosco, mi stai dicendo che Nicola Morisco e Suni Digioia non erano amanti?»

«È vero solo in parte. Si tratta di un caso di omonimia tra i cugini Morisco. Ma il sostituto procuratore non c'entra nulla: le indiscrezioni riguardano l'ingegner Nicola Morisco. Quando uno dice che i titoli contano...»

Savella scattò. «Beata te che hai voglia di scherzare anche in situazioni serissime.»

«Lasciamo perdere, signor questore, lavoro da anni alla sezione Omicidi. Per me ogni caso è serissimo, lo sa bene. La vedo molto provato e ho cercato di strapparle un sorriso. Pensi a me, che subisco i suoi complimenti spesso al limite della molestia.»

«Se la metti così, ti chiedo scusa. Credevo ti facessero piacere.»

«Non sempre, questore. Non sempre. Tantomeno quando mi occupo di situazioni tragiche e a rivolgermeli è il mio diretto superiore.»

«Ricevuto, Lobosco. Da oggi solo pacche sulle spalle.»

«Ci conto. Ad ogni modo, temo che dietro i pettegolezzi che le sono stati riferiti ci sia una montatura fatta ad arte. Dobbiamo solo capire perché e se qualcuno sta coprendo il vero assassino.»

«Il vero assassino! Questo volevo sentirti dire. Mi confermi che è un omicidio, per il momento tanto basta. Buon lavoro, Lobosco.»

La commissaria alzò gli occhi al cielo. San Nicola, dammi la forza, pensò.

«Grazie, questore, l'aggiorno.»

«No, aspetta, Lolita, un'ultima cosa.»

«Dica.»

«A proposito di quelle voci sul dottor Morisco...»

«Be'?»

«Ecco, a titolo confidenziale tanto vale che tu lo sappia: qualcuno ha tirato in ballo anche la dottoressa Carrozza. Si vocifera che abbia saputo della nuova relazione e si sia inferocita.»

«Non capisco» si finse sorpresa Lolita. «Cosa c'entra la dottoressa Carrozza con Morisco?»

Savella fece una faccia scocciata. «Vedi tu, Lobosco, io ti ho avvisata. Dovresti consigliarle di astenersi dall'indagine.»

«Grazie dell'avvertimento. Arrivederci.»

Con il rischio di fracassarsi le caviglie, Lolita scese le scale in tutta fretta, si chiuse in bagno e telefonò a Marietta.

«Uè, Lolì» rispose l'amica tutta pimpante. Non aveva idea, che non aveva idea.

«Dobbiamo parlare.»

«Oh, e che sò 'sti atteggiamenti mafiosi? Vuoi venire adesso? Sono in procura.»

«No no, cose private. Ci vediamo stasera.»

«Come vuoi. Passo da te dopo le nove, devo accompagnare i ragazzini in centro.»

«Va bene, Mariè, a dopo.»

«Ciao, Lolì.»

Al funerale di Suni Digioia c'era mezza città. Molta gente in vista, amici di famiglia di lunga data, i dipendenti di Terrarossa, e poi imprenditori agricoli di vecchia e nuova generazione. Ma soprattutto c'erano i braccianti: uomini e donne di varia nazionalità, probabilmente immigrati, irregolari, qualche clandestino. Erano quelli che piangevano di più, alcuni sembravano disperati. Lolita aveva rimandato le convocazioni al giorno successivo. Prima sperava di poter acquisire qualche elemento importante osservando i presenti alla cerimonia funebre, che aveva fatto filmare con discrezione.

Intorno alle diciotto, dopo il rientro in questura, dall'istituto di Medicina legale arrivò la conferma di quello che molti già sospettavano: Suni Digioia era stata uccisa. Il referto dell'autopsia parlava chiaro: sulla base del reperimento di lesioni vitali in corrispondenza del solco e dei tessuti profondi, quali ecchimosi ed emorragie, con certezza vi era stata una sospensione del cadavere realizzata per simulare un suicidio. Dunque la ragazza era stata prima strangolata e poi appesa a un nodo scorsoio per far credere che si fosse uccisa. Tra le annotazioni si descriveva una cena leggera accompagnata con vino rosso, consumata poco prima della morte, la presenza di una dose abbondante di benzodiazepine e tracce di un rapporto sessuale completo. Dettagli che dal punto di vista della commissaria aggravavano la posizione di Nicola Morisco.

Lolita fotografò il referto autoptico e lo inviò tramite WhatsApp al professor Introna. Era l'unico del quale si fidava. La risposta arrivò un paio d'ore dopo: *Confermo la tesi del medico legale. La vittima è morta per strangolamento. Poco prima potrebbe essere stata stordita con un sedativo, come suggerisce la presenza di benzodiazepine.*

A Lolita si gelò il sangue: i giorni successivi si preannunciavano complicati. L'ispettore Forte la raggiunse nel corridoio e la trattenne per un braccio.

«Be', già te ne vai?!»

«Sì, perché?»

«Così. Credevo volessi interrogare Morisco.»

«Lo vedrò domani alle dieci. Cerca di essere puntuale. Anzi, ci vediamo un'oretta prima per visionare i filmati e le immagini del funerale.»

«Sei nervosa? È un caso facile.»

«Ah sì? E tu che ne sai?»

«La casistica, Lolita mia. La casistica insegna. Troppe donne morte per amore negli ultimi anni.»

La commissaria si girò di scatto. Certe affermazioni la mandavano in bestia e poco ci mancò che gli mettesse le mani addosso. «Antò, ma che cazzo dici? L'amore? Ma quale amore? Questo è odio, è ferocia, non è neanche un comportamento bestiale, è molto peggio. Perché manco le bestie ammazzano le loro femmine, solo il maschio italiano. Le hai contate, le donne ammazzate nell'ultimo anno, sì o no? Lo sai quante sono?»

Forte non rispose.

«Più di cento» lo rimbeccò la commissaria. «E tu continui a chiamarlo "amore"? Allora sei un coglione!»

«Ommadonna, Lolì, ma che t'incazzi in questa maniera? Mi sono espresso male, tutto qui. Intendevo dire che è stato l'amante» rettificò l'ispettore, mogio.

«Tutto qui, un accidente» lo ammonì lei. «Una cosa è l'amore, un'altra l'amante. Le parole, Antò. Le parole sono importanti, ricordatelo.»

«Ho capito, sì, però calmati. Ci vediamo domani.»

Lolita sorrise, gli fece una mezza carezza.

«Ci vediamo domani. Mi fai incazzare, ma ti voglio bene lo stesso.»

«Vattìn', strega. E cerca di riposare, hai il viso stanco.»

«Già. Ci mancavi tu, ci mancavi.»

Marietta arrivò che erano le dieci passate, con le infradito e i capelli legati con un elastico. Lolita la squadrò da soprasotto e sorrise: anche con i jeans e la canotta di cotone era uno schianto. Abbracciò l'amica e si tuffò sul divano.

«Scusa, Lolì, ma con i ragazzini è impossibile essere puntuali. Prima ho dovuto accompagnare uno, poi l'altra, poi Luca aveva dimenticato il telefono e sono tornata indietro... Insomma, il solito disastro. Sono uscita tardi dalla procura, è arrivata un'informativa all'ultimo minuto. Lo sai, no?»

«Cosa?»

«La ragazza. È come dicevo io: è stata uccisa.»

«Lo so, Mariè, lo so. A che ora vai a riprendere i ragazzini?»

«A mezzanotte. Abbiamo un paio d'ore.»

«Basteranno.»

«A fare che?» chiese Marietta, allarmata.

«A parlare. Vai sul terrazzo, mo' vengo. Dentro fa troppo caldo. Hai fame?»

«Madò, sì, da lupi. Sarà l'ovulazione. E ho saltato il pranzo, come al solito.»

«Ci penso io. Preparo due friselle con l'acciuga e apro una bottiglia di vino. Preferisci un bianco o un rosso?»

«Bollicine ne hai?»

«Bollicine con le frise?!»

«Certo, è l'ultima tendenza. Aggiornati, bella mia.»

Lolita inarcò un sopracciglio. «Secondo me vedi troppi film, ma dovrei avere uno spumante rosé in fresco. Prendo i bicchieri e il resto. Tu innaffia i gerani, nel frattempo. E anche il basilico, per favore, ché sennò s'ammoscia.»

«Agli ordini. Poi però mi racconti, eh. Sto sulle spine, sto.»

«Dopo, sì.»

Lolita apparecchiò un tavolino sul terrazzo, runner blu, stoviglie azzurre, un boccaccio di vetro colmo di pomodori conditi con olio, sale e basilico, una scatoletta di acciughine portoghesi e una burrata. Infine accese le lucine appese sotto l'ombrellone, immerse le frise per pochi istanti in una coppa piena d'acqua e stappò il vino.

«A noi!» brindò Marietta con allegria. «Alla nostra amicizia.»

«Cin» replicò spicciola Lolita, sollevando il bicchiere.

«Cin?! Oh, Lolì, e che è tutta 'st'allegria?»

Lolita dispose le frise nei piatti, le condì e si sedette di fronte all'amica.

«Mariè, la verità è che c'è poco da scherzare.»

L'altra impallidì e posò la flûte sul tavolino. «Che vuoi dire?»

«Stanno cominciando a girare voci su Nicola. Avevi ragione in merito agli equivoci dovuti all'omonimia. Il questore ha ricevuto qualche telefonata, una addirittura dal Csm. Qualcuno ha fatto anche il tuo nome a proposito di Suni. Sulla tua presunta gelosia e sulle conseguenze.»

«Io?! Le conseguenze della mia gelosia? Ma quando mai! Stai scherzando, Lolita, cosa c'entro io con la morte di Suni?»

«Niente, Mariè, lo sappiamo. È solo un brutto equivoco.»

«No, Lolì, qui non si tratta di un equivoco. Te lo dico io cos'è: qualcuno sta strumentalizzando la morte di Suni intenzionalmente.»

«Per il posto da pg di Nicola? Non ti pare esagerato?»

«Per quello, ma non solo. Lolì, tu non conosci l'ambiente! La questura in confronto è tranquilla come un convento.»

«Immagino. Ma perché coinvolgere te?»

«Perché, perché... Lo sai, in procura non sono amatissima. Mi metto di traverso ai sostituti, alla loro smania di visibilità, voglio che tutto passi da me. Non per protagonismo, ma perché svolgo il mio lavoro con estremo scrupolo. Ad alcuni va bene, altri invece non vedono l'ora di farmi fuori, come è accaduto con l'altro procuratore che mi ha preceduta. Non ti meravigliare. Hai visto quante mele marce nella magistratura? Stai leggendo le cronache che parlano di sistemi e correntismo? Vere e proprie epurazioni secondo la logica delle spartizioni di fette di potere.»

«Figurati se non le seguo. È un terremoto. Per non parlare della vergogna.»

«Brava. Adesso fatti delle domande e datti delle risposte.»

«Già fatto.»

«Ah sì? E che hai concluso? Oh, buone 'ste frise, dove le prendi?»

«Al mercato, sono calabresi, di Cassano allo Ionio. Sottili come piacciono a me, quando te ne vai ti do una busta. Sulla faccenda Digioia invece credo che tu e Nicola dobbiate essere molto prudenti, da oggi in poi. Se vuoi un consiglio, disinteressati completamente del caso. Passa le carte all'aggiunto o mettiti in ferie. Io nel frattempo cercherò di scoprire chi ha ucciso la ragazza. Domani comincio con gli interrogatori.»

«Beata te che semplifichi. Come faccio a mettermi in ferie con tutto l'arretrato che c'è in procura? E poi vediamo cosa dice Nicola. Devo parlarne prima con lui.»

«Mah. Secondo me Nicola in questo momento meno lo vedi e lo senti e meglio è.»

«Uffa. Hai già sentito Giorgio Monteforte, il magistrato? È una fortuna che il caso sia stato assegnato a lui. Io ovviamente non posso interferire in alcun modo, ma ricordo che voi due ve la intendevate a meraviglia. Chissà, se non fosse tornato Caruso, magari a quest'ora tu e lui...»

«Mariè, Giorgio è stato solo un diversivo in un momento di debolezza, ma è un bravo magistrato e siamo d'accordo sui personaggi da ascoltare con maggiore attenzione. Innanzitutto Morisco. Successivamente la famiglia Digioia e il personale dell'azienda.»

«Bene. Per il resto che mi dici?»

Lolita si versò altro spumante e fece finta di non capire. «Quale resto?»

«Caruso, Lolì. L'amoretuo.»

«Ma quale amore. Hai letto la mail di tuo cugino, no? Giancarlo si è rivelato uno dei soliti bluff in cui incappo di continuo.»

«Be', sì, questo c'ha fregate tutte e due. Chi l'avrebbe detto, così carino, così premuroso.»

«Quel delinquente.»

«Non ci pensare, tanto quello giusto prima o poi lo trovi.»

«Tu dici?»

«Fidati.»

«Oppure faccio senza. L'importante è che non perdo te.»

A Marietta vennero gli occhi lucidi, Lolita la ruvida a volte tirava fuori il cuore.

«A me non mi perderai mai.»

Il tempo era volato, l'orologio della provincia aveva battuto la mezzanotte. Marietta si alzò, l'abbracciò forte, fece per andar via. Poi tornò indietro, una luna spettacolare illuminava la rotonda e il pontile 'ndèrr' a la lànz'.

«Guarda che luna, Lolì.»

«Sì.»

Si affacciarono a guardare il mare.

«Che bellezza questa città.»

«Davvero.»

«Devo scappare. S'è fatto tardi e i ragazzini mi aspettano all'angolo del Petruzzelli.»

«Vai vai, Mariè, baciali per me. Ah no, aspè» aggiunse, bloccandola nel corridoio. Sparì in cucina per poi ricomparire con una busta di cellophane trasparente. Sorrise. «Tiè, ti stavi scordando le frise.»

5 agosto, mercoledì

Intorno alle nove e dopo un paio di caffè, nella saletta di proiezione della Scientifica la commissaria Lobosco, in compagnia di Esposito e Forte, visionò ogni fotogramma della cerimonia funebre, ripresa da tre telecamere sistemate in vari punti della chiesa di Sant'Antonio e sull'ampio sagrato.

L'impianto dell'aria condizionata era rotto e si soffocava. Fuori dalla questura lo scirocco arroventava l'aria. Mentre si faceva vento con un fascicolo, Lolita puntò con il laser uno dei presenti seduto nelle ultime file e si rivolse al tecnico.

«Allarga qui e ferma l'immagine su Morisco. Quella sulla destra chi sarebbe, la moglie?»

«Sì» confermò Esposito.

«Se l'è portata appresso.»

«Così sembra. Magari non sapeva nulla della liaison tra i due.»

«Uhm, pare strano. Le mogli sanno sempre tutto. Dopo dieci anni di relazione, ti lascio immaginare. Cannone, vai avanti con il video.»

Le telecamere inquadrarono più volte un ragazzo di colore nei pressi del portale. Camicia celeste e jeans, lo sguardo assente.

«Quello chi è?» chiese la poliziotta rivolgendosi sempre a Esposito. «Lo avete identificato?»

L'assistente scattò in piedi e tirò fuori un foglietto.

«Attraverso il registro delle presenze obbligatorio per le regole Covid-19 abbiamo identificato tutti i partecipanti alle esequie. Il ragazzo inquadrato si chiama Kenan Ba, ha ventidue anni. È arrivato dal Mali circa tre anni fa. Da quattro mesi risulta regolarmente assunto come bracciante da Terrarossa. Inoltre, è iscritto al primo anno dell'Accademia.»

«Bravo, Esposito, stampa una copia del registro e lasciala sulla mia scrivania.»

«Comandi.»

«Antò, io e te ci vediamo nel mio ufficio tra quindici minuti per ascoltare Morisco.»

«Agli ordini. Se permetti ti offro prima una bibita fresca» propose l'ispettore con il solito atteggiamento brillante. Lolita lo guardò severa: finché non scopriva lo spiraglio per far luce sulla morte di quella donna non avrebbe trovato pace.

«Non la voglio, la bibita fresca» replicò asciutta.

Forte ci rimase male e s'impermalosì. «Emmadonna» sbottò. «Se t'avessi offerto una tazza di cicuta manco m'avresti risposto così.»

Lolita gli passò davanti senza nemmeno guardarlo. «Che palle, Antò, come sei suscettibile. La bibita pigliatela con Esposito e muovetevi, sciàmm'.»

Quando l'ingegner Nicola Morisco fece il suo ingresso nell'ufficio, la commissaria si rese conto di quanto i pregiudizi potessero essere deleteri: si era immaginata un clone di Nicolamio, invece dovette ricredersi. I due, seppure omonimi e cugini di primo grado, non si somigliavano per niente. Al contrario della figura imponente del sostituto procuratore, l'uomo appena entrato aveva le sembianze di un poeta. O meglio, di una figura che Lolita Lobosco identificava con la poesia: pallido, slavato, occhi e capelli colore del lino.

«Buongiorno, dottoressa, sono a sua disposizione.»

«Si accomodi.»

Voce gentile e mani bellissime. Lolita ripensò alle foto di Suni Digioia, all'aspetto minuto e delicato della ragazza. Ai lunghi capelli biondi e ai sari vivaci che amava indossare. Accostò mentalmente le immagini alla persona che aveva davanti e le parve che sì, quei due dovevano essere stati una coppia ben assortita, di quelle che ti fermi a guardare quando le vedi passare per strada o al ristorante.

La signora Morisco, al contrario, femmina dai colori arabi e dal fisico appesantito, non le era sembrata per nulla adatta al marito.

Puntò gli occhi in quelli dell'ingegnere e attaccò senza preamboli, com'era solita fare per essere in vantaggio su ogni ipotetico omicida.

«Morisco, lei sa perché l'ho fatta chiamare?»

L'ingegnere si tolse gli occhiali, gli occhi si rivelarono di un grigio più cupo del previsto. «Sì» disse stancamente. «Ho avuto una lunga relazione con Suni Digioia. Immagino voglia conoscere la mia idea riguardo al suicidio.»

Lolita pensò alla targhetta attaccata sulla parete accanto alla porta dell'ufficio: PRIMO DIRIGENTE SQUADRA OMICIDI. A Morisco doveva essere sfuggita.

«Mi dica quello che sa, oltre a quello che pensa.»

«Certamente. Conobbi Suni parecchi anni fa al maneggio dove accompagnavo i miei figli per i corsi di equitazione. Suni era appassionata di cavalli, all'epoca ne possedeva diversi e ne teneva uno da corsa al maneggio, Scintilla. Era molto giovane, io ero sposato e avevo già due figli, eppure dal primo sguardo capii che era la donna della mia vita. Quella che a volte puoi non incontrare mai.»

Lolita lo fissò con curiosità e un pizzico di invidia. «Da quali elementi trasse la sua certezza?»

Morisco girò la testa verso la finestra. Si perse un attimo nel mare sullo sfondo e inseguì il fumaiolo colorato di una nave da crociera che si staccava dalla banchina, accompagnata dal lungo ululato della sirena.

«Allora?» lo richiamò lei.

«Sì, mi scusi. Adesso che Suni non c'è più i ricordi fanno male. Non so come farò a sopravvivere senza di lei.»

Lolita ripeté la domanda. Non riusciva a simpatizzare per quell'uomo, dentro di sé lo aveva ritenuto colpevole prima ancora di conoscerlo. «Dicevamo, da quali elementi trasse la sua certezza?»

«Cosa vuole che le dica, ci bastò uno sguardo da un box all'altro. Lei governava Scintilla, io aspettavo che i ragazzi finissero la lezione. La stavo osservando da qualche minuto mentre strigliava il mantello sauro, quando sollevò la testa, mi vide e mi sorrise. Fu un tempo brevissimo che sembrò infinito. Un'emozione violenta. Nessuno di noi due fiatò, ma il giorno successivo ci ritrovammo nello stesso posto e alla stessa ora, e anche quello dopo e quello dopo ancora. Un paio di settimane più tardi la raggiunsi a Roma, dove si recava spesso per lavoro. Andammo a cena in un locale a Testaccio e poi restammo a dormire insieme. Cominciò così.»

«Molto romantico.»

«Non faccia ironia, la prego. Suni era una donna eccezionale, coltissima, attenta ai diritti sociali e agli ultimi. Si ispirava alla figura di Liliana Rossi, una ragazza della provincia di Foggia morta giovanissima nel 1956, ma che nella sua breve vita si era interessata alla condizione delle donne, dei salari, dei braccianti, al diritto allo studio e alla libertà religiosa.»

«Certo, certo. Nessuna ironia, mi creda. In seguito è finita, mi pare di capire.»

«Per colpa mia, commissaria. Anche se non è stato esattamente così.»

«Ah sì, e com'è stato?»

«Come un colore sbiadito. Una via di mezzo tra il bianco e il nero. Non era ancora finita del tutto, ci sentivamo spesso, continuavamo a vederci almeno una volta alla settimana. Immagino sappia che non è facile chiudere una storia come la nostra. Sono stati dieci anni pieni di sentimento. Suni era stanca di noi, ma io speravo ancora.»

«E cosa sperava? Aveva intenzione di separarsi da sua moglie?»

La risposta fu secca. «No, questo no.»

Lolita restò in silenzio, lo sguardo accusatorio.

«Non avrei potuto» aggiunse Morisco, con tono di scuse. «Non sempre è sufficiente la volontà.»

«Qual è stata la colpa alla quale faceva riferimento?»

«L'aver sognato una vita con Suni. Aver promesso, aver progettato un futuro insieme.»

«E invece?»

Morisco tirò fuori un pacchetto di sigarette, tolse il cellophane che lo rivestiva e lo posò sulla scrivania. Lolita ignorò il messaggio sottinteso e indicò un cartello appeso alle sue spalle. VIETATO FUMARE.

«Lo so, mi scusi. È un riflesso condizionato. Vede, commissaria, la vita talvolta decide per noi, scombina i nostri piani e ci inchioda alle nostre responsabilità.»

«Si spieghi meglio.»

«Un incidente. Qualche anno fa Domenico, il mio secondogenito, ha sbandato con il motorino e si è schiantato contro un muretto a secco. Era senza casco, è rimasto in coma per tre mesi, ha subìto un paio di interventi alla testa e alla colonna vertebrale. Io e mia moglie abbiamo sperato in una ripresa che purtroppo non è arrivata. Domenico ha problemi cerebrali e di deambulazione.»

«Mi dispiace.»

«Grazie. Non so se ha figli oppure no, ma se li ha sa che vengono prima di ogni altra cosa. Il senso di responsabilità dell'essere padre mi ha impedito di dare vita a quei progetti tanto desiderati. Sono rimasto in famiglia anche se ho continuato la relazione con Suni.»

La Lobosco inarcò le sopracciglia con fastidio. «Le dirò, ingegnere, si dà il caso che non abbia figli, eppure le assicuro che averne non è l'unica condizione per comprendere certe situazioni. Ci arrivo anche senza essere madre.»

L'uomo a quel punto tirò fuori un fazzolettino di carta e si deterse la fronte dal sudore. Era una giornata molto calda e da che Lolita aveva memoria l'aria condizionata della questura non aveva mai funzionato perfettamente. Prese il telecomando dal cassetto e azionò il ventilatore da soffitto.

«Va meglio?»

«Grazie. Le chiedo scusa per quello che ho detto, mi sono espresso male.»

«Lasci perdere, ci ho fatto il callo a certe affermazioni. Mi racconti come reagì Suni a un cambiamento che la coinvolgeva indirettamente.»

Morisco sorrise. «Se avesse avuto la fortuna di conoscere Suni, si sarebbe resa conto all'istante che era una persona eccezionale. Il dramma di mio figlio ha contribuito a tenerci uniti. Poche settimane dopo l'incidente lei stessa mi giurò che non ci saremmo mai lasciati.»

«E lei ci ha creduto. Poi però Suni ha rotto il giuramento. È andata così?»

L'ingegnere si mosse sulla sedia. Era a disagio. «Più o meno. Qualche mese fa mi aveva detto di voler interrompere la nostra storia.»

«Le ha spiegato perché?»

«Mezze frasi, qualche ammissione. Ho intuito la presenza di una terza persona.»

«Chi era?»

«Non lo so, ma credo un ragazzo molto più giovane di lei.»

«Lo conosce?»

«Non penso.»

«L'ha uccisa per gelosia?»

Morisco diventò paonazzo, batté un pugno sulla scrivania e alzò la voce.

«Commissaria, ma cosa sta dicendo! Io l'amavo!»

Il grido dell'ingegnere riempì la stanza e attraversò le pareti fino al corridoio. Forte, che era rimasto quasi invisibile fino a quel momento, si alzò e lo raggiunse alle spalle. Esposito aprì la porta di comunicazione tra i due uffici. «Tutto a posto, dottoressa?»

«Sì, Esposito, grazie. Solo uno scambio di opinioni con l'ingegnere.»

Morisco era scoppiato in lacrime, ed era bastato uno sguardo di Lolita all'agente scelto perché questi offrisse acqua e fazzolettini di carta.

«Ingegnere, sospendiamo per qualche minuto. Nel frattempo, se lo desidera, può fumare accanto alla finestra e prendere un caffè.»

«Grazie, sì. Avrei anche bisogno della toilette.»

«Certamente. Esposito, accompagna il signore.»

L'ispettore Forte si avvicinò alla scrivania, la faccia sdegnata. «Certo che sei sempre la solita» attaccò.

«La solita che?» replicò Lolita, raccogliendo i capelli in una coda di cavallo.

«La solita talebana nei confronti della categoria maschile. Dal tuo punto di vista ogni uomo è pronto a uccidere la propria partner, se questa a un certo punto decide di interrompere la relazione.»

La commissaria restò tranquilla e ne approfittò per limare l'unghia dell'anulare sinistro, che continuava a impigliarsi nel filato azzurro del top lavorato all'uncinetto. Era troppo impicciata tra il caso Digioia e l'affaire Caruso per stare dietro alle paturnie dell'ispettore Forte.

«Uh Antò, a te il caldo ti ha dato alla testa. Lo vuoi un consiglio? Mettiti in ferie e porta tua moglie al mare. Almeno ti distrai.»

«Non ho bisogno né di ferie né di distrazioni, e tantomeno dei tuoi consigli. E comunque mia moglie sta a Margherita di Savoia a fare le cure termali insieme a mia suocera e ai ragazzini. Anzi, a proposito, se sei libera una di queste sere ti porto a mangiare il pesce in un posto come dico io.»

«Toglitelo dalla testa. Ho troppi casini in questo periodo.»

«Madonna, non cambi mai. A te, o ti invitano a una festa o a un funerale, è la stessa cosa.»

«Antò, ficcatelo in testa: dipende sempre da chi mi invita.»

«Strega.»

«'Fanculo. E mo' finiscila, ché sono ritornati. Esposito, fai accomodare.»

«Comandi, commissaria.»

L'ingegnere rientrò nella stanza e tornò a sedersi. Aveva l'aria provata e gli occhi lucidi, ma sembrava essersi ricomposto.

«Come va, ingegnere?»

«Un po' meglio, grazie.»

«Bene. Ascolti, supponendo che, come lei sostiene, Assunta Digioia si sia tolta la vita, mi dica perché avrebbe dovuto farlo.»

«Per tanti motivi. Soprattutto economici.»

«Cerchi di essere più preciso.»

Morisco allargò le braccia, poi si accarezzò il mento.

«Suni era una capatosta, si ostinava a voler fare tutto da sola, ma la realtà imprenditoriale agricola italiana, almeno al Sud, risente di una impronta patriarcale. Se non hai maschi nei dintorni fai fatica. Dopo la morte di suo padre, Suni si è ostinata contro il volere della famiglia a portare avanti l'azienda, orientandosi verso il biologico e le produzioni etiche e solidali. Ha registrato il marchio Terrarossa e ne ha creato un altro, ma tutto questo con grandi sforzi. I bilanci erano sempre in perdita e le banche pronte ad azzannarla. Inoltre c'erano questioni personali che la turbavano.»

«Quali?»

«La fase di stallo che attraversava la nostra storia. La mancanza di prospettiva. Stanchezza, in generale. A volte basta un attimo di oscurità per decidere di farla finita. Sapesse quante volte è capitato a me e quante volte la mia ragazza speciale mi ha salvato.»

«Ingegnere, sua moglie era al corrente della vostra relazione?»

Morisco abbassò la testa. «Sì, da un paio d'anni.»

«Ne avevate parlato?»

«Ma no, commissaria, scherza?! Non sono cose che si dicono alla propria moglie.»

«In che modo era venuta a saperlo?»

«Eh, sa come vanno queste cose, no?»

Lolita si finse stupita. «Quali cose?»

«La provincia, le dinamiche femminili, le solite amiche premurose. Una di loro ci ha sorpresi mentre eravamo a Torre Quetta. Lei faceva jogging, io e Suni approfittavamo della pausa pranzo per stare un po' insieme. Eravamo appoggiati al cofano della mia macchina e ci stavamo baciando, quando Ramona ci ha intravisti da un varco tra le siepi e fotografati. Poi ha inviato la foto a mia moglie. Per tutelarla, ha detto.»

«Sua moglie come l'ha presa?»

«Malissimo, conosceva Suni perché l'aveva incontrata al maneggio e la stimava. Si è sentita tradita da entrambi. Mi odia da quel giorno.»

«Ah sì? Non si direbbe.»

Morisco fece una faccia strana. «In che senso? Conosce mia moglie?»

Lolita aprì il cassetto, tirò fuori un fascicolo, ne estrasse un paio di immagini del funerale di Suni Digioia e le mostrò all'uomo.

«Lo deduco dal vostro atteggiamento. Eravate insieme al funerale, seduti accanto nel banco. La seconda foto vi ritrae mentre state andando via, sottobraccio.»

Per un istante un sorriso involontario strappò via dal volto di Morisco la maschera della malinconia.

«Ma no, commissaria, queste foto non significano nulla. La solita facciata perbenista, il solito luogo comune dei panni sporchi che si lavano in famiglia.»

La commissaria Lobosco sospirò. «Quali panni?»

Le costava recitare la parte della gnorri, ma faceva parte del gioco. Irritare la controparte quasi sempre sortiva l'effetto di rivelazioni insperate.

L'ingegnere si sporse in avanti. «Legge i giornali?»

«Mi pare ovvio.»

«E allora sa cosa scrivono sulla morte di Suni. Parlano di omicidio e di un amante geloso. Che poi sarei io. Qualcuno ha già tirato fuori il mio nome, anche se molti fanno confusione con mio cugino, il sostituto procuratore.»

Morisco la fissò cercando una complicità che Lolita non aveva alcuna intenzione di concedere.

«Dunque, la presenza di sua moglie ai funerali della sua amante cosa significa?»

«È una garanzia, commissaria. Una forma di protezione nei

miei confronti per zittire le voci, i pettegolezzi dei soliti ben informati. In un codice non scritto significa: "So tutto, so che mio marito e questa ragazza hanno avuto una lunga relazione, ma lui è innocente, non c'entra con la sua morte. Una cosa è un tradimento, ben altra un omicidio."»

«Non le sembra un atteggiamento ipocrita?»

Morisco si irrigidì. «Cerchi di comprendere. È una strenua difesa della famiglia, per chi ancora ci crede. Può non esistere più una fedeltà fisica e sentimentale verso il coniuge, ma allo stesso tempo si può nutrire un forte senso di responsabilità per la famiglia. Chi siamo noi per giudicare gli altri?» aggiunse con piglio da predicatore della domenica.

«Ma si figuri. Mi occupo di omicidi, non sono qui per fare la morale a nessuno. Ancora un paio di domande, poi la lascio andare.»

«Mi dica.»

«Ha incontrato la vittima nelle ore precedenti la sua morte?»

«No. Non la vedevo da una settimana.»

«Dov'era domenica sera tra le ventuno e le ventitré?»

«Nel salotto di casa con mia moglie e mio figlio. Guardavamo la televisione.»

La Lobosco si alzò, fece il giro della scrivania.

«Direi che per il momento può bastare, ma si tenga a disposizione.»

«Grazie, commissaria, buona giornata.»

«Anche a lei. Esposito, per favore, accompagna l'ingegnere al pianterreno.»

«Allora?» L'ispettore Forte si piantò di fronte alla scrivania.

«Allora che?»

«Morisco, dico. È stato lui?»

«È ancora presto per farsi un'idea. Devo ascoltare i familiari della Digioia e la moglie di Morisco, poi parlerò con Monteforte e decideremo il da farsi. Nel frattempo campiona la tazzina utilizzata da Morisco e mandala alla Scientifica. Ci serve il dna.»

«Allora pensi sia stato lui, Morisco?»

«Non lo escludo. La vittima ha avuto un rapporto sessuale poco prima della morte e lo stesso Morisco ha ammesso che non riusciva ad accettare l'idea di perdere Suni.»

«Quando verrà data ufficialmente la notizia che si è trattato di un omicidio?»

«Alle quindici. Ho chiesto espressamente di tardare qualche ora.»

«Dubito che qualcuno si sorprenderà, da un pezzo in città hanno già fatto due più due. Corre voce che sia stato un delitto passionale. La solita storia: lei lo lascia perché ha un altro e lui la uccide simulando un suicidio.»

«Antò, a noi le voci non interessano. Ci servono i fatti. Se li hai, torna qui e riferiscimeli. Per esempio, chi è il ragazzo più giovane con il quale forse, e dico forse, Suni Digioia aveva cominciato a vedersi? No, aspetta, mi sta venendo un'idea: ti ricordi il ragazzo del funerale?»

«Ti riferisci a Kenan Ba, lo studente dell'Accademia?»

«Proprio lui. Provvedi a inviare una convocazione, voglio ascoltarlo. E adesso per favore gira al largo, ché sto nervosa, sto.»

«Caruso, non mi dire?!»

«Caruso, sì. Mè, vattene, ché devo lavorare.»

«Vado, ma se vuoi più tardi ti porto un pezzo di focaccia.»

La commissaria sorrise. «A 'sto punto aggiungici quella bibita fresca che...»

Forte fece un mezzo inchino. «Agli ordini, *madame*.»

«... e scusa, Antò, certi giorni sono impossibile, lo so.»

«Eh. Lo so pure io, lo so.»

Dalla finestra dell'ufficio, il profilo merlato del castello svevo si stagliava in contrasto con l'azzurro del mare. Dalla banchina del porto arrivavano lo stridio dei gabbiani e il vociare di pescatori e marinai pronti a salpare. Lolita chiuse gli occhi, lasciando che la brezza marina le accarezzasse il viso, e sognò di partire. Aveva bisogno di una tregua. Da quand'era che non accadeva? Le sarebbe piaciuto andare su un'isola greca, o magari in Salento. O perché no, alle Tremiti, l'ultimo lembo del Gargano. Il pensiero corse a Giancarlo e si incupì. Accostò le imposte e tornò a sedersi.

Mai un giorno di pace, pensò afferrando il cellulare che squillava per la terza volta di seguito. La scritta MADRE lampeggiava inquietante sul display.

«Pronto?»

«Lolì, ammammà, che stai facendo?»

«Sto lavorando, ma'. Quante volte ti ho detto di non chiamarmi mentre sono in ufficio se non per le urgenze?»

«Infatti è un'urgenza. Per questo ti chiamo.»

Lolita si fece vento con il fascicolo. «Ah sì? E sentiamo, quale sarebbe l'urgenza?»

«La salsa, ammammà. Teniamo quattro quintali di pomodori di Mola stesi al sole sulle lenzuola del corredo di tua nonna, e bisognerà bollirli, passarli e imbottigliare la salsa entro stasera. È già passato mezzogiorno e io e Carmela da sole non ce la facciamo. Ci serve una mano a lavare le bottiglie e a fare tutto il resto.»

Lolita cercò di mantenersi calma, la cardiopatia congenita di sua madre non consentiva l'incazzatura che sarebbe stata necessaria per sfogarsi.

«La salsa?! Cose da pazzi! Come faccio ad aiutarvi con un omicidio che tengo da risolvere?»

«Figlia mia, tu però avevi detto che ti mettevi in ferie ad agosto e noi ci siamo organizzate di conseguenza!»

«Ma', ficcati in testa che con il lavoro che faccio non posso fare programmi, né di salsa né di niente.»

«Ho capito, ma se non facciamo la salsa entro stasera i pomodori ammuffiranno, lo sai, no? Con quello che costano! Ché Carmela lo sai com'è, sceglie sempre quelli più cari. Ci tiene quella figlia alla qualità.»

«Sì sì, la qualità.»

«Allora, vieni ammammà?»

La commissaria guardò l'orologio. Erano da poco passate le

dodici, prima delle sette di sera non sarebbe riuscita a muoversi dalla questura. Lanciò un'occhiata a Esposito, che batteva un
verbale al computer nell'altra stanza, in cerca di un'ispirazione.

«E Tonio dove sta? Chiamalo.»

«Ennò, Tonio non può. Ha portato i ragazzini al mare, a
Capitolo.»

«A Capitolo, beato lui. Facciamo così: tra un'oretta ti mando
Giancarlo, appena mi spiccio vengo pure io.»

«Giancarlo il fidanzato tuo?» chiese sua madre, stupita.
«Oh, finalmente lo conosciamo!»

«No, ma', che hai capito. Quale fidanzato, Caruso è solo un
amico.»

«Vabbè vabbè, fatti vostri, basta che ci dà una mano.»

«Stai tranquilla, mo' ti mando lui e stasera vi raggiungo.»

«Sciàmm', ché se finiamo presto facciamo i panzerotti e li
facciamo assaggiare all'amicotuo.»

«Va bene. Devo mettere giù adesso.»

«Ciao, ammammà, ti aspettiamo.»

Lolita chiuse la telefonata e digitò il numero di Caruso. La
voce roca e sensuale del suo amante le solleticò le orecchie
provocandole un brivido di piacere.

«Ehi, amore.»

«Amore un cazzo. Devi farmi un favore» esordì sbrigativa
spiegandogli di cosa si trattava. Se Caruso credeva che le fosse
passata l'arrabbiatura si sbagliava di grosso, ma in quel momento le serviva, e sua madre, Carmela, un centinaio di bottiglie da lavare e quattro quintali di pomodori da trasformare in
salsa fino al tramonto sarebbero stati la giusta punizione per le
questioni sottaciute.

«Obbedisco. Il tempo di arrivare.»

Il telefono squillò ancora: era Carmela. Cercò di mantenersi
tranquilla.

«Lolì.»

«Carmè, so tutto. Ho già parlato con mamma, tra un'ora al
massimo Caruso sta lì.»

«Non è per quello. È per i boccacci che dobbiamo fare domani e per i pomodori spaccati. Venerdì mattina alle otto massimo devi stare qui. Te lo volevo ricordare.»

«Ah sì, alle otto massimo? E in questura ci vieni tu al posto mio? Carmè, io faccio la commissaria della Omicidi, mica la contadina a tempo perso. Ficcatelo bene in testa. E mo' fammi chiudere, fammi, ché tengo da fare.»

«Sei sempre la solita, sei. Da quando sei nata.»

«Appunto. Dimenticatemi.»

«Fosse per me, guarda... È tua madre che si ostina a chiamarti.»

«Uhhhh!»

Mise giù con malgarbo senza salutare. Forse per il caldo, forse per i problemi con Caruso, ma da qualche tempo non sopportava più nessuno. Figuriamoci Carmela. Infilò la borsa a tracolla, sciolse i capelli, si diede una spruzzata di profumo e uscì dalla questura. Poco distante, in uno dei più bei palazzi del quartiere umbertino abitava la famiglia di Suni Digioia: la madre, la nonna, una zia. Avrebbe fatto quattro passi.

Di fianco al portone, un inserviente dell'impresa funebre stava attaccando al muro i manifesti di ringraziamento. Lolita si soffermò a leggere qualche riga, poi spinse il bottoncino di ottone lucido del citofono.

Una voce dall'accento straniero rispose dopo pochi secondi. «Chi è?»

«Commissaria Lolita Lobosco.»

«Primo piano.»

«Grazie.»

Restò qualche minuto nella frescura del portone liberty, ammirando gli specchi, le vetrate e i marmi, poi salì al piano. Il palazzo era avvolto nel silenzio. La porta di noce chiaro era aperta e una colf filippina con indosso un camice celeste l'attendeva sul pianerottolo.

«Si accomodi, signora è in salotto verde.»

Percorsero un lungo corridoio superando molte porte, fino ad arrivare a un giardino d'inverno pieno di piante rinfrescato da un deumidificatore. Accomodate su un salottino di midollino color bosco c'erano la madre e la nonna di Suni. Abbronzatura, ori a profusione, capelli biondo Bari, ventagli, un paio di caftani in shantung a colori vivaci. Fucsia per la madre, verde smeraldo per la nonna. Sul tavolino del salotto, due coppe di cristallo colme di granita al caffè con panna erano posate su un vassoio d'argento.

«Ne gradisce una?» Era stata la donna più giovane a parlare.

«Sono in servizio, grazie.»

«In che modo possiamo aiutarla?» chiese sollevando una delle due coppe con le mani abbronzate e piene di anelli. La porse alla signora più anziana, poi immerse il cucchiaino nel ciuffo di panna montata e assaggiò.

Lolita la osservò con curiosità – Laura Marini era evidentemente una donna forte – e attaccò senza preamboli: «Mi spiace comunicarle che sua figlia Suni è stata uccisa. Per quanto l'omicida abbia cercato di simulare un suicidio, le perizie medico-legali e i referti non lasciano spazio a dubbi. Quello che ci interessa sapere è, dal suo punto di vista, chi poteva avere interesse a...» Il cucchiaino nelle mani della donna più anziana tintinnò contro il cristallo. Lolita si accorse che tremava. Si fermò un istante a cercare le parole più adatte. «... a farle del male.»

«È una domanda alla quale è difficile rispondere» disse Laura Marini. «E sa perché?»

Lolita scosse il capo. «Purtroppo no.»

«Perché mia figlia era buona come il pane. Si prendeva cura di tutto e tutti come se fosse la missione della sua vita. Amava le formiche, gli alberi e gli esseri umani nello stesso modo passionale e totalizzante. Aveva una luce, un'energia... non si poteva far altro che adorarla. Certo, era anche un personaggio scomodo, sempre occupata a salvare qualcuno o qualcosa: gli elefanti bianchi nel Congo, la bracciante di Cerignola, il migrante arrivato dal Mali o l'opunzia mediterranea. Organizzava petizioni, raccolte firme, campagne di sensibilizzazione. A causa della sua ossessione di rimettere le cose a posto si scontrava sempre con qualcuno, dai politici ai sindacalisti, fino a qualche imprenditore più spregiudicato. Era inevitabile che stesse sul naso a molti, ma al punto di ucciderla, povera stella, proprio no. Non mi viene in mente nessuno se non...» Si interruppe e scacciò l'aria con la mano ingioiellata.

«Se non...» la imbeccò Lolita.

«Ma no, lasci perdere. Ho detto una sciocchezza.»

«La prego, è importante. A individuare un assassino a volte può bastare una sensazione sgradevole.»

«Quanto ha ragione. La persona alla quale ho pensato è molto sgradevole.»

«Di chi si tratta?»

La signora divagò. «Lo sa, commissaria, le madri spesso hanno sogni banali per i propri figli e anch'io avevo sognato per Suni un destino differente: un marito, dei bambini, una professione appagante. Qualcosa di più concreto e gratificante degli ideali per i quali mia figlia ha sempre dato l'anima.»

«Signora cara, dovrebbe sapere che quasi mai i figli riescono a far contenti i genitori, a meno che non sacrifichino se stessi e i propri sogni. È la legge della vita.»

«Certo che lo so, ma la stessa legge sancisce che tutti i genitori sperino che il figlio abbia il meglio di ogni cosa, anche nell'amore.»

«È così» concesse Lolita. Non era necessario essere madre per darle ragione.

«Ecco, Nicola Morisco non era *il meglio*. Non era il principe azzurro che una madre sogna per la sua bambina e non era neppure libero.»

«Succede.»

«Certo, succede. E può andare bene lo stesso, se riesce a renderti felice. Ma Morisco non l'ha mai resa felice, se non nei primi tempi.»

«Per quanto esattamente?»

«Per il primo anno o poco più.»

«Quindi lei pensa che Morisco possa averla...»

«Oh no, no. Non lui. Nicola adorava mia figlia, anche se

è un pavido. Quanto alla persona sgradevole, non mi riferivo certo a lui.»

«A chi, allora?» incalzò Lolita. Nonostante il deumidificatore, nella serra si soffocava. Pensò che avrebbe dovuto accettare la granita che le era stata offerta.

«A sua moglie. Marialuisa odiava Suni con tutte le sue forze. Mesi fa ha persino tentato di ucciderla.»

«Sta scherzando?»

«Le pare opportuno, con mia figlia uccisa e chiusa in una tomba? C'è una denuncia a testimoniarlo.»

«Faremo tutte le verifiche del caso.»

«Devo avvertirla che nelle settimane successive Suni aveva deciso di ritirarla, ma credo che una traccia resti negli archivi. Almeno spero.»

«In che modo ha tentato di farle del male?»

«Con la macchina. Ha cercato di investirla in una strada del centro.»

«È stato un caso, secondo lei...»

La donna la interruppe, sprezzante. «Non esiste il caso, dottoressa. Dovrebbe saperlo.»

«Cosa è successo di preciso?»

«Mentre Suni era in giro per commissioni sulla sua moto, prima l'ha speronata con l'auto e dopo le ha tagliato la strada, facendola cadere sull'asfalto.»

«La ragazza si era fatta male?»

«Aveva riportato contusioni alla testa e al braccio, e si era spaventata molto. Aveva passato la notte in ospedale sotto osservazione.»

«Quindi ci sono i referti?»

«Certamente.»

«La signora l'aveva seguita, secondo lei?»

«Senza dubbio, purtroppo capitava spesso. Di solito si limitava a urlare insulti dal finestrino.»

«Perché Suni aveva ritirato la denuncia?»

La signora si sventagliò con un gesto sprezzante. «Pressioni.»

«Da parte di chi?»

«Non lo immagina?! Ad ogni modo, non credo che Nicola si rifiuterà di confermare quello che le sto dicendo.»

Lolita si scostò una ciocca di capelli dalla guancia e la portò dietro l'orecchio. Era il suo modo per contare fino a dieci. Con i parenti delle vittime ci voleva pazienza, il dolore stravolgeva le percezioni. Avrebbe avuto anche lei bisogno di farsi vento, una vampata di fuoco le era salita dal collo fino alla fronte e forse Carmela non aveva tutti i torti. Non era questione di nervosismo o di temperature: erano sintomi di menopausa.

Delinquente, pensò la commissaria. L'ingegnere con la faccia da poeta le aveva taciuto un'informazione non da poco. Questo non deponeva a suo favore, che non deponeva. Marietta l'avrebbe sentita, un delinquente era il cugino di Nicola-suo, altro che santo! Del resto il sangue quello era.

«Ancora un'altra domanda, se non le dispiace.»

«Mi dica.»

«Chi si occuperà dell'azienda da adesso in poi?»

La signora scacciò di nuovo l'aria come si scaccia una mosca. «Cosa vuole che le dica, mia figlia non c'è più. L'azienda è l'ultimo dei pensieri.»

«Comprendo perfettamente, ma è necessario battere tutte le piste per rintracciare il colpevole. Dietro ogni azienda importante ci sono interessi economici notevoli. Inoltre, Terrarossa ha molti dipendenti e ci sono responsabilità che non si possono ignorare neanche davanti a tragedie così grandi. Pensa di nominare un curatore?»

«Lo farò a tempo debito. Al momento per l'ordinaria amministrazione ci sono il fattore e il ragioniere. Immagino che a tutto il resto invece stia provvedendo Umberto. Mi importa poco di Terrarossa, gliel'ho detto.»

«Certo, certo. Umberto, e poi?»

«D'Angelo. Umberto D'Angelo.»

«Un parente?»

«Qualcosa di simile, credo un compare, non so spiegarle bene. È sempre stato presente nella nostra famiglia. Una specie di consigliere per mio marito, perfino socio in alcuni affari. Mia figlia lo detestava, ingiustamente purtroppo. Invece lui, dopo la morte di mio marito, ha fatto di tutto per aiutarla, anche finanziariamente.»

«Grazie, signora, non ho altre domande per il momento. Perdoni il disturbo e ancora condoglianze.»

«Stia bene.»

«Ah, senta: sua figlia faceva uso di benzodiazepine?»

«Ma scherza? Mia figlia era una salutista. Ricorreva alla medicina alternativa, tisane e fiori di Bach, per intenderci. Non certo psicofarmaci.»

«Immaginavo.»

La commissaria stava per imboccare la porta quando la signora minuta avvolta nel caftano verde smeraldo si alzò in piedi e, con voce sottile e squillante come una campanella d'argento, la chiamò. «Lolita.»

La commissaria tornò sui suoi passi e porse le sue scuse alla nonna di Suni. Le era parso che non fosse lucida, vittima di quei misteriosi morbi che annientano la memoria degli anziani. Era l'unico motivo per il quale non le aveva rivolto la parola.

«Mi perdoni, ho evitato di farle domande per non turbarla. Mi è sembrata molto provata.»

La donna prese le mani della commissaria tra le sue. «Grazie, l'ho intuito. In effetti in questi giorni ricorro spesso a gocce tranquillanti per affrontare un dolore intollerabile. Se perdere un figlio è contro natura, perdere un nipote è molto peggio che morire. Sa, Suni era la mia unica nipote. Nessuno mai più mi chiamerà nonninabella, mi sbaciucchierà per ore intere, allevierà i miei dispiaceri. Avrei dato la mia vita in cambio della sua, per quel poco che vale.»

«Mi dispiace tanto, signora, ho avuto anch'io due nonne amatissime e la capisco. È un legame unico, quasi magico.»

«La prego, arresti il responsabile di questo scempio. Lo cerchi ovunque, lo faccia per me. Forse solo così riuscirò a morire con il cuore in pace.»

Lolita tirò su con il naso e strinse le labbra per arginare la commozione.

«Glielo prometto» sussurrò prima di andar via.

Attraversò Bari vecchia nella calura del primo pomeriggio. Le piaceva camminare, indugiare davanti alle edicole religiose, alle maschere apotropaiche e agli stemmi di pietra che adornavano i portoni. Gli scuri dei bassi erano socchiusi nel tentativo di trattenere la frescura notturna, il silenzio della cittadella araba veniva interrotto a tratti dalle smarmittate di qualche motorino. Nel codice locale era un'affermazione di potere. Davanti alle case, gli stendini per il bucato si alternavano ai telai con le orecchiette stese ad asciugare. Si fermò a comprarne un sacchetto, le avrebbe preparate con il sugo fresco il giorno dopo, o magari la domenica. Certo, avrebbe potuto impastarle personalmente, ma Lolita cucinava bene solo quando era innamorata, e la passione per Caruso era ormai un latte tiepido che rischiava di inacidirsi.

Si spinse fino al molo Sant'Antonio, attraversò 'ndèrr' a la lànz'. I pescivendoli avevano già sbaraccato, sul bancone di marmo una mezza stecca di ghiaccio si squagliava al sole. A quell'ora a Bari non circolava quasi nessuno, solo un pescatore solitario sbatteva un polpo sulla banchina, mentre alcuni turisti stranieri scattavano fotografie a raffica, incantati e stupiti da tutta quella bellezza. Si girò a guardare le finestre di casa sua, la tenda bianca che si muoveva appena smossa dalle pale del ventilatore. Per un attimo ebbe la tentazione di salire, fare una doccia e stendersi sul letto una mezz'ora a schiarirsi le idee. La distrasse il gabbiano che le si posò accanto, sulla ringhiera del lungomare. Non era il momento di prendersi una pausa, il pensiero di un delitto ancora irrisolto e della ragazza morta non le dava pace. E di lì a poco ci sarebbe stata la conferenza stampa.

Lo squillo del cellulare lacerò il silenzio dell'ufficio. Era Forte.

«Allora?» chiese lui. «Com'è andata la conferenza?»

«Abbiamo appena finito, nessuno si è stupito più di tanto alla conferma che si trattasse di omicidio. Per il resto, occorre vedere ancora un paio di persone il prima possibile.»

«Di chi si tratta?»

«La prima è Marialuisa Tricase, la moglie di Morisco. Qualche mese fa ha cercato di investire la Digioia.»

«Ma veramente?»

«Sì.»

«E chi te lo ha detto?»

«La madre della Digioia.»

«A questo punto potremmo aver risolto il caso.»

«È ancora presto per dirlo. Domani andiamo a sentire cos'ha da dire. Il secondo è Kenan Ba. Ah senti, procurami la denuncia sporta dalla Digioia. Prima però passiamo dallo studio del marito. Devo cazziarlo bene bene.»

«Ha omesso il particolare...»

«Appunto.»

«Dove ci vediamo?»

«All'angolo della Saicaf. Veloce.»

«Il tempo di arrivare.»

Dopo le quattro la temperatura era salita ancora. Il termometro digitale della banca segnava trentasette gradi. L'ingegner Morisco era sceso a pigliarsi una cosa fresca al bar sotto lo studio e, quando vide entrare la commissaria, la granatina al limone gli andò di traverso.

«Si sente bene, ingegnere?» lo apostrofò ironica Lolita. «Non ha un bel colorito.»

«Le brutte notizie, commissaria. Ho seguito la conferenza stampa in diretta web. Suni è stata davvero uccisa e avevo bisogno di prendere un po' d'aria. Sono sceso un minuto a ristorarmi. Posso offrirle un caffè?»

«Sono in servizio. Quando è comodo avrei delle cose da chiederle.»

Morisco esitò un attimo, guardò Forte, poi di nuovo la commissaria, e finalmente capì. «Siete qui per me.»

«Appunto.»

L'ingegnere si pulì la bocca con un tovagliolino, posò un paio di monete sul bancone e uscì dal locale.

«Faccio strada, ho lo studio a due passi.»

«Lo sappiamo.»

Morisco esercitava la libera professione presso uno di quegli studi associati e modernissimi concepiti come in America. Uno stanzone enorme, la targa di ottone con dieci cognomi uno sotto l'altro, decine di scrivanie divise da séparé in plexiglass e nessuna privacy.

Lolita si guardò intorno perplessa. «Non c'è una saletta riservata?»

Morisco sbiancò ancora. «Ci sarebbe l'archivio.»

«Andrà bene.»

«Che succede, commissaria?» domandò allarmato mentre apriva la porta a doppio battente.

«Ah guardi» replicò Lolita, incrociando le braccia e appoggiandosi a uno degli scaffali di metallo che circondavano la stanza, «questo deve dirmelo lei.»

«Di cosa parliamo? Non capisco.»

Lolita socchiuse gli occhi come quando al poligono prendeva la mira, gli si parò davanti e gli puntò un dito contro, all'altezza del petto. «Mi riferisco a sua moglie, al tentativo di uccidere Suni. E al perché ha taciuto un dettaglio così importante.»

Morisco arretrò di un passo e si portò le mani al cuore, come se Lolita gli avesse davvero sparato.

«Ho avuto paura» balbettò.

«Paura di cosa?»

L'ingegnere si coprì il volto. «Paura di tutto. Che lei potesse sospettare di mia moglie o che la ritenesse colpevole dell'omicidio di Suni. Che i miei figli, soprattutto Domenico, potessero soffrire o essere coinvolti in questa vicenda a causa mia.»

«È stata questa la ragione per la quale ha indotto Suni a ritirare la denuncia?»

Morisco sospirò. «Sì. Lei non immagina neanche quanto sia

difficile convivere con i sensi di colpa. Quando mia moglie ha finto di investire Suni per spaventarla...»

«Finto?! Ma se la Digioia è finita addirittura in ospedale.»

«Marialuisa ha sempre sostenuto che non era sua intenzione farle del male, ma solo spaventarla e sfogare la sua rabbia. Ebbene, quando è successo mi sono sentito responsabile, sono arrivato a meditare il suicidio per sfuggire alla pressione di una situazione che ci stava distruggendo tutti. Con il tempo ho cercato di dimenticare l'accaduto. Almeno fino alla morte di Suni.»

«Ingegner Morisco, parliamoci chiaro: ritiene che sua moglie possa aver ucciso la sua ex amante e sta cercando di proteggerla?»

L'uomo scoppiò in lacrime. «No no no no no» singhiozzò. «Siete completamente fuori strada. Io continuo a credere che Suni si sia semplicemente tolta la vita e che adesso sia finalmente in pace. La stessa pace che vorrei trovare anch'io. Per me e per la mia famiglia.»

«Non è ancora tempo di pace, Morisco, creda a me. Fino a che non avremo trovato l'esecutore dell'omicidio, dubito fortemente che lei possa dormire sonni tranquilli. E se si ostina a non collaborare e a portarmi fuori strada, ne avrà ancora per molto.»

Tirò fuori un biglietto da visita, scrisse con la biro un numero di telefono e lo porse all'ingegnere. «È il mio numero privato. Il cellulare è acceso giorno e notte. Se le viene in mente qualsiasi cosa per lavarsi la coscienza, un dettaglio che ha taciuto o una sensazione, non esiti a chiamarmi. Lo dico nel suo interesse: prima risolviamo il caso, prima troverà la pace che cerca.»

«Grazie. Lo farò, mi creda.»

«Ci conto. Buon pomeriggio.»

«Vi accompagno.»

«Non si disturbi, conosciamo la strada.»

«Di nuovo.»

«A lei.»

Non appena varcarono la soglia del portone, l'ispettore Forte sbottò attaccando il suo diretto superiore. «Certo che sei tremenda, Lolì, mammamia. Poveraccio l'uomo che ti incrocia sulla sua strada.»

«Che stai dicendo, Antò? Sei impazzito?»

«Sto benissimo, solo non capisco perché devi mettere paura a un povero cristo che sta già provato di suo.»

Lolita scrollò le spalle e inforcò gli occhiali da sole.

«Ognuno ha i suoi metodi. E l'ingegnere è reticente. A certi soggetti ci vuole il pungolo, ci vuole.»

«Sì, e a te lo so io che ci vuole» s'innervosì Forte dandosi uno schiaffo sulla bocca. «Santa pazienza, lingua mia, statti zitta.»

La commissaria controllò l'orologio.

«Falla finita, ché fa caldo. Accompagnami da mia madre, per favore. È urgente.»

«Il solito sbalzo di pressione?» chiese Forte, improvvisamente premuroso. «Con questa afa è inevitabile.»

«Macché» rise lei, «piuttosto le solite cento bottiglie di salsa. Stamattina ho mandato Caruso a dare una mano, ma adesso tocca a me.»

«Gesù, la salsa! Che ricordi, Lolì. E che fatica!»

L'ispettore aveva ragione. In certe zone del Sud, la preparazione della salsa era un rito irrinunciabile, un legame antico che univa epoche e generazioni. Da nonni a nipoti, certe abitudini tramandate, certi sapori scoperti da bambini restavano impressi a fuoco nella memoria, al punto che una bottiglia di salsa fatta in casa diventava un prezioso testimone da passare di mano in mano.

Certo, era faticoso. Nell'ultimo decennio il surriscaldamento del pianeta aveva stravolto il clima. Le temperature estive non scendevano mai sotto i trentadue gradi, il tasso di umidità era alle stelle e a fare la salsa si sudava eccome. Sebbene facesse la commedia per sottrarsi, Lolita non si sarebbe persa quell'appuntamento familiare per niente al mondo. Nonostante la presenza di Caruso.

Quando arrivò a contrada Purgatorio, attraversando filari

di covoni disposti in bell'ordine e sollevando nugoli di terra, nell'aia del piccolo podere di proprietà di Carmela vide chili e chili di pomodori maturi immersi in grandi mastelli di plastica celeste, colmi d'acqua fino all'orlo. Poco più in là, sotto una tettoia di cannicciato, altrettanti pomodori giacevano stesi su vecchie lenzuola di lino immacolato, in attesa di essere sciacquati. Il contrasto del rosso acceso con il bianco e il celeste le diede un guizzo denso di felicità e di malinconia. Quanti anni erano passati da quando era bambina, da quando a fare la salsa c'erano anche suo padre e nonna Dolò. Sospirò e proseguì lungo il viale delineato dal muretto a secco e da una macchia di ulivi.

Cassette gialle piene di bottiglie di birra vuote e capovolte erano impilate una sull'altra in attesa di essere riempite. Man mano che si avvicinava si accorse del falò acceso al centro del podere e distinse le tre figure chine a semicerchio. Sua madre, vestaglietta nera e fazzoletto in testa, Giancarlo e sua sorella Carmela. Con precisione millimetrica, stavano sistemando in un vecchio fusto d'olio le bottiglie piene di salsa, già sigillate con i tappi a corona. Una incastrata accanto all'altra, separate ogni tanto da uno straccio e poi messe a bollire. Era un'operazione che richiedeva una certa attenzione per evitare che le bottiglie scoppiassero a causa del calore.

Lolita osservò sua madre rialzarsi inarcando la schiena e massaggiandosi le reni, un gesto che le aveva visto fare tante di quelle volte da far parte di lei. Le venne forte l'impulso di abbracciarla, ma si contenne. Non era ancora tempo di abbracci.

Fu Carmela, sollevando la fronte per asciugarsi il sudore, che s'accorse dell'arrivo della sorella. Fece un fischio e la squadrò da capo a piedi. «Te ne vieni tutta elegante» attaccò, con il solito tono strafottente. Ché a lei di fare la gentile con Lolita davanti a Caruso non le importava.

«Uh Carmè, finiscila. Te l'ho spiegato stamattina che sarei arrivata direttamente dalla questura. Se passavo da casa a cambiarmi perdevo un'altra mezz'ora.»

«Mah. Per quello che puoi fare con i tacchi e i jeans aderenti potevi anche non venire. Ma almeno le scarpe non te le potevi togliere?! Si è mai vista una che fa la salsa con le Louboutin, dico io?»

«Sorè, finiscila» sibilò Lolita, zittendola e spiando Caruso con la coda dell'occhio. «Ma', ce l'hai una vestaglietta da prestarmi?»

«Vai, Lolì, sta nella torre, appesa al chiodo dietro la porta. E ci stanno pure le ciabatte.»

«Mi vado a cambiare e vengo. Che altro sta da fare?»

«Teniamo un quintale e mezzo ancora da bollire, passare e imbottigliare. I pomodori e le bottiglie stanno già lavati. Restano i boccacci e gli scattarisciati, ma quelli li facciamo tra giovedì e venerdì. La settimana prossima ci dedichiamo alla conserva.»

«Non ti prometto niente, ma se riesco mi prendo una mezza giornata di ferie.»

«Con lui come va?» chiese sottovoce sua madre indicando Caruso, che era rimasto in silenzio a testa bassa a sistemare le bottiglie.

«Insomma» bisbigliò Lolita, strizzando l'occhio.

«Con noi va a meraviglia» s'intromise Carmela. «È un galantuomo. Sei tu che i maschi non te li sai tenere. Durano al massimo dodici mesi, poi se ne scappano.»

Lolita la ignorò. «Ciao, Giancà» disse poi, tutta vezzosa. «Mia sorella la devi scusare, parla per ignoranza e per il fastidio che prima l'ha lasciata il marito e dopo il ragioniere.»

«Chi è stata lasciata, chi?!» Le grida di Carmela arrivarono alle stelle e fecero scappare pure il gatto.

Tra battibecchi e bottiglie scoppiate finirono che era già buio. Al chiarore della luna piena, Nunzia tirò fuori dalle sporte un paio di focacce, affettò mortadella e provolone, stappò una bottiglia di primitivo e apparecchiò sul covone sistemato sotto l'albero del fico. Era una bella sera d'estate, la città con i suoi morti ammazzati e i tanti problemi sembrava lontana mille miglia. Caruso scostò i capelli di Lolita per farle una carezza sulla nuca e la sua pelle si increspò come fa il mare quando tira vento. Si girò a guardarlo dritto negli occhi, sorrise e tutta la rabbia dei giorni passati si sciolse nella notte liquida che li aspettava.

6 agosto, giovedì

Arrivò in questura che erano da poco passate le nove, la camicia bianca già incollata alla pelle e in petto uno strano presentimento. Esposito le andò incontro nel corridoio per scortarla. Il passo della commissaria era riconoscibile dal momento stesso in cui varcava il portone d'ingresso e i poliziotti degli altri reparti si affacciavano sulle soglie delle stanze. Nonostante fossero già trascorsi quasi dieci anni da quando era stata assegnata a via Gioacchino Murat, tra tacchi, bellezza, jeans attillati e capelli sciolti, il passaggio di Lolita nei corridoi restava un evento. Lei con il tempo aveva imparato a fregarsene, ma in passato ne aveva versate di lacrime. E però no, alla libertà di vestirsi come le piaceva non avrebbe mai rinunciato.

«Buongiorno, dottoressa.»

«Oh ciao, Espò, che si dice stamattina? Novità?»

«Per adesso tuttappòst'. L'ispettore Forte è uscito con la pattuglia, dovrebbe rientrare tra poco.»

«Di che si tratta?»

«Un regolamento di conti al quartiere San Paolo. Un appartenente al clan degli *Sparàm mbìtt* ha gambizzato Mimì *'u pagghiùs*.»

«Eh, normale amministrazione, considerando i personaggi. Senti, tra un quarto d'ora abbiamo un'operazione. Puoi far preparare la macchina? Nel frattempo salgo dal questore e firmo un paio di documenti urgenti.»

«Comandi, dottorè, l'aspetto giù.»

Salì in fretta gli ultimi gradini. Ad attenderla sulla scrivania c'era un'informativa con una notizia che imprimeva una svolta alle indagini e demoliva in parte l'ipotesi che stava costruendo nella sua testa. Il confronto della Scientifica con il dna rinvenuto sulla tazzina di Morisco aveva dimostrato che il liquido spermatico trovato nel corpo di Suni Digioia non apparteneva all'ingegnere.

«Adesso tocca a te, Lobosco. È il caso di dire *cherchez l'homme*» commentò ironico l'ispettore Forte, che era rientrato in questura. «Ti conviene darti da fare, siamo già a giovedì e questa storia mi piace sempre meno. Se andiamo oltre la settimana avremo tutta l'opinione pubblica contro e i giornalisti alle calcagna.»

La commissaria sospirò. Era facile a dirsi, un po' meno risolvere il caso nei tre giorni successivi.

«Non ti preoccupare, Antò, lo troveremo. Ah senti, hai convocato il ragazzo?»

«Kenan?»

«Sì.»

«Sarà nel tuo ufficio domani alle dieci e mezza.»

«Ottimo. Fammi andare, c'è Esposito che mi aspetta.»

«Buon lavoro, Lolì.»

Superati la chiesa russa e l'angolo della casa circondariale, ai lati dell'ampio viale alberato che ai tempi di Lolita bambina si chiamava corso Sicilia, sorgevano le grandi ville dell'aristocrazia barese. Qualcuna, ormai fatiscente, risaliva ai primi del Novecento, tutte le altre erano invece sorte negli anni del boom economico, quando la Bari commerciale e mercantile viveva anni di grande splendore e aveva nella fiera del Levante, nel teatro Petruzzelli e in palazzo Mincuzzi la sua massima espressione.

La famiglia Morisco aveva acquistato villa Ada da una decina d'anni, apportando qualche modifica all'edificio e aggiungendo una bella piscina sul lato sinistro del giardino.

Quando Lolita citofonò al cancello, senza aver annunciato la visita, Marialuisa Tricase stava facendo acquagym in compagnia del figlio. Arrivò dopo qualche minuto avvolta in un telo di spugna bianco, scalza e con i capelli che gocciolavano. Si fermò davanti alle sbarre di ferro battuto.

«Non insista, non compriamo nulla» esordì trovando la commissaria e il fidatissimo Esposito in paziente attesa.

«Dunque abbiamo l'aspetto di venditori di aspirapolvere» chiosò Lolita, ammiccando all'assistente mentre sfilava il distintivo dalla tasca dei jeans. «Marialuisa Tricase, giusto?»

«Sì» esitò la donna, sorpresa.

«Purtroppo per lei non siamo piazzisti, ma poliziotti.» Si fermò un istante in attesa di una reazione.

«Che vuol dire?»

«Commissaria Lolita Lobosco, questura di Bari, sezione Omicidi.»

La Tricase impallidì e restò immobile. «Ommadonna. È per Suni, vero?» sussurrò.

Lolita si soffermò a guardare la pozza d'acqua che si stava formando ai piedi della donna. «Sì, ma stia tranquilla. Solo qualche domanda.»

«Mi dia il tempo di sistemare mio figlio.»

«Faccia pure.»

Dopo che la donna si fu allontanata, Esposito le diede leggermente di gomito. «Dottorè, permettete una domanda?»

«Dimmi, Espò, che c'è?»

«Dottorè, ma per caso la signora si è... si è...»

«Non credo, Espò, o almeno spero di no. Sarà l'acqua della piscina.»

«Dite voi.»

«Ah no?»

«Ennò. A me pare altro, a dire la verità.»

«Dici? E allora vuol dire che io e te mettiamo paura alla gente.»

«Quello è sicuro. La signora non si è fidata neanche a farci entrare mentre si appronta. Tiene paura che le rubiamo l'argenteria.»

Qualche minuto dopo, lo scatto automatico del cancello indicò ai due poliziotti che potevano accomodarsi. Seguirono il vialetto costeggiato da una siepe di margherite e salirono i tre gradini che portavano a un'ampia veranda, arredata con divani di vimini e grandi cuscini a fenicotteri rosa.

Marialuisa Tricase Morisco era seduta sul divanetto, un camicione di lino giallo infilato in tutta fretta, gli occhi spiritati, la mano di suo figlio stretta in una delle sue e nell'altra una sigaretta già accesa.

«Siete qui per quella puttana» esordì, la voce arrochita dal troppo fumo e da una rabbia che serbava in corpo da parecchio tempo. Lolita sussultò per la sorpresa. Era come se la donna impaurita ferma dietro le sbarre del cancello fosse solo molto somigliante a questa, che sedeva davanti a lei ostentando un'irritante sicumera. Una gemella, identica soltanto nell'aspetto.

Superato il primo istante di stupore, si dispose a interrogarla. Certo, in questura la modalità sarebbe stata più formale, ma aveva preferito affidarsi all'effetto sorpresa.

«Siamo qui per la denuncia sporta nei suoi confronti alcuni mesi fa e successivamente ritirata dalla defunta Assunta Digioia. Nel documento, tuttora presente negli archivi della questura, si parla di lesioni personali e di tentato omicidio.»

La donna scrollò le spalle con sufficienza. «Non è vero niente. La Digioia ha inventato ogni cosa di sana pianta, tant'è che in seguito ha ritrattato.»

«A quale scopo?»

«Ah ah ah, commissaria, davvero non lo immagina?»

«No.»

«Era uno dei soliti sporchi trucchi per rubarmi il marito.»

La voce di Lolita assunse un tono amaro. «Mi tocca contraddirla, signora. I mariti non si rubano. A volte si perdono per strada, magari per colpa nostra.»

«Non è questo il caso, le assicuro. Il nostro matrimonio funzionava benissimo fino all'arrivo di questa Suni, che il diavolo se la porti.»

«Moderi i termini. Parliamo di una defunta.»

«Senta, in casa mia parlo come voglio. E se lei fosse al corrente delle sofferenze e delle umiliazioni che ho dovuto sopportare per quella persona, mi lascerebbe perdere. Suni era una ragazza dura come l'acciaio, decisa a tenersi Nicola a ogni costo. Non si è arresa neppure davanti alle condizioni di Domenico dopo l'incidente. Lo vede mio figlio? Si rende conto del dolore che affrontiamo ogni giorno?»

Lolita guardò il ragazzo: i capelli biondi, gli occhi spenti, l'anima altrove e il corpo deformato in seguito all'incidente. «Sì, certo» aggiunse sottovoce.

«Non credo» replicò la donna con durezza. «Altrimenti comprenderebbe che questo dolore è sopportabile solo se diviso a metà. Invece la Digioia voleva cancellare me e mio figlio, voleva allontanare definitivamente Nicola da Domenico e ha fatto di tutto per portarcelo via. Non era la santa della quale parlano, si convinca.»

Lolita non fiatò e lisciò con cura la tela dei jeans che indossava.

«La vedo perplessa» insisté la Tricase.

«Posso essere franca con lei?»

«Deve, viste le circostanze.»

La commissaria sbuffò, quella donna era irritante.

«Le confesso che sarebbe più facile crederle se la smettesse di parlare di suo marito come di un oggetto da rubare o possedere. Uno status e non una persona. La casistica racconta che spesso soggetti come lei arrivano a uccidere per ristabilire l'ordine di cose o tra persone che secondo il loro punto di vista rappresenta la perfezione.»

La moglie di Nicola Morisco rise amaro.

«La casistica, commissaria?! Dovrebbe provare sulla sua pelle quello che ho vissuto io per capire. Un figlio perfetto per diciassette anni e poi un incidente che dilania vite, progetti, serenità e ti lascia in mezzo al dolore. Cosa ne sa lei del dolore, Lo-li-ta?»

La poliziotta rialzò la testa di scatto. La donna aveva pronunciato il suo nome con disprezzo, come se chiamarsi come il personaggio di Vladimir Nabokov in qualche modo sminuisse la sua persona e rendesse meno credibile il ruolo che ricopriva. Si massaggiò il polso sinistro e accarezzò la piccola stella che portava tatuata da qualche anno. Le stelle erano la sua bussola nei momenti difficili e quel gesto automatico l'aiutava a calmarsi quando il sangue bolliva. Restò in silenzio qualche minuto.

«Cosa può saperne lei della mia vita, e se conosco o no il dolore. Lasci perdere il mio nome e le mie vicende personali, non sono attinenti alle indagini. Mi racconti piuttosto la sua versione dei fatti riguardo all'episodio menzionato nella denuncia.»

Marialuisa Tricase si ravviò i capelli, soffiò il naso di suo figlio avvolto in un accappatoio a strisce verdi e blu, poi annuì, abbassò il capo e pianse.

Esposito guardò il suo superiore in attesa di un segnale. Era un uomo vecchio stampo: veder piangere una donna gli era intollerabile. Lolita restò immobile, probabilmente la Tricase era bipolare e le due personalità si alternavano, apparendo e scomparendo come in un gioco di prestigio.

«Sono molto stanca» si scusò quella dopo qualche minuto, «e questo caldo anomalo non aiuta.»

«Ha ragione. Posso fare qualcosa per lei?»

«Non si disturbi. Come può immaginare non è un momento facile. Suni è stata uccisa e molti sono convinti che mio marito c'entri qualcosa. O che addirittura io stessa sia coinvolta in questa brutta storia. Ho accompagnato mio marito al funerale nel tentativo di mettere a tacere le voci e proteggere la famiglia. Domenico vive in una bolla e non corre rischi, ma Federica soffre molto per quello che sta accadendo. Bari è una città che ama il pettegolezzo, senza cattiveria o secondo fine, è solo che a noi baresi ci piace parlare, parlare, parlare. Anche di cose che sarebbe meglio tacere.»

«A cosa si riferisce? Cerchi di essere più circostanziata, per favore.»

«Parlo in generale, ma fu proprio a causa di un pettegolezzo arrivato dalla solita amica ben informata che seppi della relazione di mio marito con un'altra donna. Intendiamoci, non caddi dal pero: c'erano stati segnali che avevo preferito ignorare per amor di pace, ma quando la verità mi fu sbattuta in faccia, fui costretta a chiedere il conto. Intimai a Nicola di lasciare l'altra per un senso di responsabilità nei confronti miei e di nostro figlio.»

«Suo marito come reagì?»

«Malissimo. Mi disse che amava Suni, che era la sua ragione di vita e non l'avrebbe mai lasciata. Capisce, dottoressa Lobosco? La sua ragione di vita! Non io, i nostri figli, Domenico in queste condizioni! No, lei! Lo odio da quel giorno.»

«Arriviamo all'incidente.»

La Tricase ebbe un gesto di insofferenza. «L'incidente è una conseguenza. L'atmosfera familiare diventò pesantissima, ce l'avevo con Nicola e gli rendevo la vita impossibile con mille dispetti, lui si lamentava con Suni e così lei cominciò a farli a me.»

«I dispetti?»

«Sì, comportamenti da ragazzini. Mi seguiva in centro con l'Harley-Davidson, mi rigò l'auto con una lama, mi sgonfiò le gomme, un paio di volte mi insultò per strada...»

Lolita la interruppe. «Ci sono testimoni a confermare questi episodi?»

«A parte mio figlio, non credo.»

Lolita abbracciò il ragazzo con lo sguardo. Ricambiò il sorriso di lui.

«Purtroppo non è sufficiente.»

«Lo so.»

«Cosa è successo il giorno dell'incidente?»

«Ero uscita come al solito per accompagnare Domenico dal fisioterapista. Al semaforo di piazza Umberto, Suni ha accostato la moto alla mia auto e mi ha insultata. Faceva piuttosto caldo e avevo il finestrino abbassato.»

«Ricorda cosa le ha detto?»

«Troia.»

«Lei come ha reagito?»

«Sono rimasta impassibile, ho aspettato che scattasse il verde, ho ingranato la marcia e proseguito.»

«E poi?»

«Ho cambiato itinerario sperando di seminarla, ma Suni ha continuato a seguirmi e a insultarmi. Ho deciso di mettere la freccia a destra per depistarla e poi ho girato a sinistra. È stato allora che è caduta, mi stava incollata.»

«Era prevedibile che accadesse.»

«Non automaticamente. Non sarebbe successo se mi avesse lasciata in pace.»

«Guardi, ho rintracciato la denuncia della Digioia ed è completamente differente da quello che lei afferma. Come lo spiega?»

«Mentiva. Tant'è che poi ha ritrattato.»

«Non ha modificato la versione, ha ritirato la denuncia.»

«È uguale.»

Lolita sospirò, quella donna sfiniva anche lei. «Dov'era la sera in cui Suni è stata uccisa?»

«A casa con mio marito e Domenico. Guardavamo una puntata del commissario Montalbano, mio figlio lo adora.»

«E poi?»

«Ho messo a letto Domenico e sono andata a dormire.»

«Insieme all'ingegnere?»

«No, abbiamo stanze separate. Intorno alle dieci e mezza Nicola ha ricevuto una telefonata e si è appartato nel suo studio. Poco dopo è uscito.»

«È sicura di quello che dice?»

«Sicurissima. Stavo chiudendo le finestre quando l'ho visto salire in bicicletta e uscire dal cancello.»

La commissaria si alzò. Esposito si staccò dal muro al quale si era appoggiato e la raggiunse.

«Si tenga a disposizione, signora.»

«Naturalmente» assicurò la Tricase.

Lolita la guardò stupita. Ancora una volta la donna aveva cambiato maschera.

7 agosto, venerdì

Aveva dormito male. Penelope aveva miagolato tutta la notte e quando era riuscita a addormentarsi aveva fatto un brutto sogno. Si alzò che erano le nove passate, preparò il caffè e controllò il telefono. Lesse i messaggi: rotture di scatole in sequenza. Il questore voleva vederla a mezzogiorno. L'estetista aveva spostato l'appuntamento a dopo Ferragosto. Sua madre aveva bisogno di comprare una panciera e Carmela non poteva accompagnarla. Imburrò una fetta di pane tostato e fece una doccia. Scese in fretta e si diresse verso il Maggiolone. Scappottò, allacciò la cintura, girò la chiave. Il motorino di avviamento girò a vuoto. Riprovò senza risultato, per un attimo le venne da piangere, poi si incamminò. Non tutti i mali vengono per nuocere, rifletté. Avrebbe smaltito il burro della colazione.

Kenan Ba la stava aspettando in corridoio qualche metro prima della sua stanza. Era in piedi, di spalle. Guardava il castello che si stagliava al di là della finestra con un taccuino appoggiato sul davanzale. Le mani, munite di matita, si muovevano veloci. Stava disegnando.

Si fermò a osservarlo. Era alto, il corpo elegante e muscoloso. Valutò la schiena un po' curva, forse a causa di una vecchia scoliosi non curata, il jeans sbiadito e la maglietta bianca fresca di bucato. Si avvicinò alla finestra per sbirciare il disegno e in quel momento Kenan si girò.

«Commissaria Lobosco?»

«Sì.»

«Kenan, Kenan Ba.»

«Certo, certo. Mi scusi ma ho avuto un contrattempo e sono arrivata in ritardo. Venga con me» lo invitò, precedendolo verso il suo ufficio.

«Grazie.»

«Ecco, può accomodarsi su quella sedia» gli disse, indicandogli la scomoda seduta di plastica davanti alla sua scrivania. «Mi dia solo un minuto, avviso l'ispettore Forte e l'agente che deve verbalizzare. Ah, cosa stava disegnando?»

Il fruscio della carta strappata dal blocchetto fu la risposta. Kenan le porse uno schizzo perfetto del castello svevo che sorgeva a poche centinaia di metri dalla questura.

Lolita cercò i suoi occhi. «È molto bravo, sa?»

Kenan evitò lo sguardo e abbassò la testa. «Non lo so.»

«Invece sì. Per questo frequenta l'Accademia. Sa perché l'ho fatta convocare?»

Il giovane annuì, gli occhi a terra. «Suni» sussurrò.

«Suni, sì. Lei era tra le persone presenti al funerale.»

«Sono un dipendente di Terrarossa. C'eravamo tutti.»

«Ma il dolore ha molti gradi di intensità. E il suo era elevato.»

«A Suni devo molto. La sua morte è una grande sofferenza.»

«Quali erano i vostri rapporti?»

Fu allora che Kenan alzò lo sguardo per un attimo. Gli occhi spenti, la sclera macchiata di sangue, erano quelli di un disperato. Le fece molta impressione.

«Di rispetto. Lavoravo per lei. Mi dava un tetto. Una dignità.»

Nel fiato del ragazzo Lolita avvertì un vago sentore di alcol. Il tono cambiò all'improvviso.

«E non bastava? Cos'altro si aspettava?»

Kenan si alzò di scatto.

«Che significa? Non l'ho uccisa io.»

«Troppo facile. Occorrerà dimostrarlo. Dov'era domenica sera intorno alle ventidue?»

«A Casa Rossa, nella mia stanza. Sono andato a letto presto, siamo nel pieno della raccolta dei pomodori e mi sveglio all'alba.»

«Chi c'era in stanza con lei?»

«Ero da solo.»

«Andiamo bene» ironizzò Lolita. «Posso vedere il blocchetto degli schizzi?»

«Preferisco di no.»

«Le conviene darmelo spontaneamente. Altrimenti dovrò sequestrarlo.»

Il ragazzo parve stupito. «Ma è mio, non ho fatto niente.»

«Avanti, Kenan, glielo restituisco subito.»

«Le giuro che non c'entro con la morte di Suni.»

«Questo lo vedremo, intanto mi mostri il blocchetto.»

«Sono solo disegni.»

«Dia qui.»

Kenan posò il bloc-notes sulla scrivania. Lolita girò le pagine una dopo l'altra, poi ricominciò dall'inizio. Cercò gli occhiali nel cassetto per vedere meglio. In quegli schizzi a matita, nella perfezione dei tratti sfumati con le dita indugiando nelle pieghe più intime, emergeva tutta la bellezza di Suni, ritratta in ogni modo, in ogni luogo. Ma sempre nuda. Abbassò gli occhiali sul naso e fissò il ragazzo.

«Che significa?»

«Ero innamorato di lei.»

«Innamorato, dice? A me sembra un'ossessione.»

«Era amore invece.»

La commissaria sospirò. Nonostante la posizione scomoda di Kenan Ba, avvertiva una corrente di simpatia nei suoi confronti. Sperava di non sbagliarsi.

«Questo complica di molto le cose.»

«Perché?»

«È troppo giovane per saperlo, purtroppo quando ci sono di mezzo i sentimenti le situazioni si complicano sempre.»

«Sono giovane, ma ho vissuto abbastanza anni per conoscere la vita e quanto può essere spietata. Suni era la mia luce, da quando si è spenta sono morto dentro.»

Lolita si morse le labbra. Il ragazzo sembrava sincero, eppure nascondeva qualcosa. Il suo compito era scoprire cosa. Si alzò in piedi, aprì la porta dell'ufficio.

«Vada, ma si tenga a disposizione. E non lasci la città.»

Salì le rampe con le gambe pesanti. Al quinto piano della questura, seduto in penombra nella stanza rivestita da pannelli di noce scuro, il questore la stava aspettando. Da qualche tempo i rapporti con il suo diretto superiore, che non erano mai stati idilliaci, avevano subìto un peggioramento. Vuoi per la troppa confidenza che il suddetto si permetteva nei suoi confronti, vuoi per l'incapacità assoluta della commissaria nell'arte della diplomazia. Fu per quello che, quando entrò nell'ufficio, il muso già appendeva a terra. Dal canto suo Savella doveva essersi alzato dalla parte sbagliata, difatti la ricevette con modi asciutti, senza invitarla ad accomodarsi e sferrando immediatamente l'attacco.

«Buongiorno, questore, mi ha cercata?» esordì la commissaria a mezza voce.

«Eccerto che ti ho cercata. Mi aspetto che a distanza di cinque giorni dall'omicidio Digioia tu abbia da fornire un rapporto dettagliato sul caso. Con nomi e cognomi dell'assassino o dei presunti tali, giusto?»

La commissaria non rispose e abbassò leggermente il capo. Certo, il questore aveva le sue ragioni, ma non si rendeva conto di certi fattori, in primis il caldo e metà dell'organico in ferie.

«Allora» incalzò Savella, «dov'è il fascicolo?!»

«Questore» cominciò Lolita con tono sicuro sperando l'aiutasse a prendere tempo, «il fascicolo è sulla mia scrivania in attesa di essere completato.»

«Bene. Devo dedurre che sei in grado di dirmi chi ha ucciso la ragazza.»

Silenzio.

«Giusto, commissaria?» insisté Savella.

«Più o meno» glissò la Lobosco.

«Che significa?»

«Stiamo procedendo con gli interrogatori, ho già ascoltato la madre e la nonna della vittima, il suo amante e la moglie. Inoltre...»

Il questore la interruppe bruscamente. «L'amante, la moglie dell'amante! Ma dove siamo, in un fotoromanzo degli anni Sessanta? Commissaria Lobosco, lo sai chi mi ricorda il tuo modo di indagare?»

«No» replicò Lolita, seccata per l'interruzione. Va bene il caldo, va bene la pressione dell'opinione pubblica, ma adesso il questore stava esagerando.

«Mi ricorda la portinaia del mio palazzo, ecco chi mi ricorda» esclamò quello con rabbia, battendo la mano sinistra sulla scrivania.

Fu allora che Lolita s'imbizzarrì. A tutto c'era un limite.

«Ennò, questore, non le permetto di trattarmi così. Portinaia a me non lo dice nessuno, tantomeno lei. Ma chi si crede di essere?»

«Senti, Lobosco, sono il tuo diretto superiore, ho la responsabilità di un'intera questura e da te mi aspetto un altro modo di indagare davanti a un caso simile.»

«Per esempio?»

«Un'indagine a trecentosessanta gradi. Un approfondimento sull'azienda della vittima. Era una imprenditrice molto conosciuta, o mi sbaglio?»

«Non sbaglia» sospirò la poliziotta. «Ho interrogato uno dei dipendenti e ho avuto un confronto con il sostituto procuratore Monteforte su come procedere nelle prossime ore. Inoltre, nella mia agenda sono già segnati un sopralluogo a Terrarossa e altri interrogatori. Detto questo, escludere con certezza il movente passionale non potrebbe che facilitarci nell'indagine.»

«Dunque resti fedele alla tua linea investigativa?»

«Non escludo nulla.»

«Hai ancora tre giorni a disposizione. Dopo quella data, o mi porti la testa dell'assassino oppure...»

«... oppure le porto una focaccia» rispose beffarda la Lobosco, girando i tacchi senza nemmeno salutare. E 'fanculo il questore.

Fu sufficiente che Lolita varcasse la soglia dell'ufficio perché Esposito e Forte si accorgessero del suo umore.

«Che è stato, Lolì? Tieni la faccia scura che manco la Madonna dell'Odegitria» la sfotté Forte alludendo al nervoso che la commissaria teneva stampato in faccia.

«Indovina.»

«È colpa del signor questore?» chiese Esposito, ossequioso come al solito.

«Lui, lui. Proprio un signore, sì. Mi ha praticamente dato della portinaia.»

«Non è possibile» risposero i due coreuti all'unisono.

«E invece sì» insisté lei.

«N'dà denz', Lolì, lo sai com'è fatto Savella» provò a consolarla l'ispettore. «Abbaia ma non morde, solo che finché non risolviamo il caso ci terrà tutti sulla graticola.»

«Dici tu. Io metto lui sulla graticola, se non la smette. Ma in fondo la colpa è soltanto mia, dovevo restare in ferie, dovevo restare! Sole e mare dalla mattina alla sera, altro che indagini e omicidi.»

«Sì sì, e pure Caruso apprèss' apprèss'. Chiamala fessa la commissaria» la sfotté l'ispettore.

«Deficiente.»

«Dottorè, sentit'ammè» s'intromise Esposito, mettendo sulla scrivania un involucro di carta oleata dal quale si sprigionava l'inconfondibile odore della focaccia bollente, «ci pensiamo dopo, al questore. A pancia piena si ragionano meglio pure le indagini.»

Lolita ci pensò un attimo, indecisa se mandare anche Esposito a quel paese, ma la vista lussuriosa della focaccia barese unta e ricoperta di pomodori e olive lavò via l'offesa del questore al punto che non le bastarono i due triangoli che le spettavano, ma finì per mangiare anche metà di quella di Forte.

Più tardi, nel pomeriggio, citofonò all'ispettore Forte.

«Antò.»

«Ti stavo chiamando in questo istante.»

«Perché?» s'insospettì la commissaria intercettando una stonatura nella voce del collega.

«Prima tu.»

«Ti va di fare un po' di giri?»

«Dove vorresti andare?»

«Ho necessità di fare un sopralluogo a Terrarossa, parlare con i dipendenti, vedere come si muove Kenan Ba all'interno dell'azienda.»

Forte abbassò la voce. «Ti volevo chiamare appunto per questo. È troppo tardi.»

Lolita controllò l'orologio.

«Come sarebbe, hai già finito il turno? O devi correre a casa a lavare i piatti?»

Forte alzò la voce. «Che cazzo stai dicendo, quali piatti? Abbiamo la lavastoviglie da dieci anni, se proprio ti interessa. Comunque no, non ho finito il turno. È successo un fatto.»

«Che fatto?»

«È troppo tardi per rivedere il ragazzo. È morto.»

Lolita si appoggiò alla scrivania, le gambe di ghiaccio, il timore di cadere.

«Gesùcristosanto, com'è morto?»

«Si è suicidato.»

«Stai parlando di Kenan?»

«Sì.»

«Non ci credo. Ci ho parlato stamattina.»

«È così purtroppo.»

«Quando è successo?»

«Credo qualche ora fa. Hanno trovato il corpo da poco, è messo male. Con questo caldo poi.»

«Dov'è?»

«A Madonnella, nella vecchia caserma dell'aeronautica.»

«Non è lontano da qui.»

«Preparo la macchina, ci vediamo nel cortile tra cinque minuti. Bevi un po' d'acqua prima, hai l'affanno.»

«Grazie, sì.» La voce era quasi un sussurro. Menomale che ci sei, pensò Lolita. Il cuore non la finiva di sbattere come un uccello in gabbia.

L'ex caserma dell'aeronautica di corso Sonnino, a ridosso della ferrovia, era in disuso da molti anni. Nonostante le condizioni fatiscenti in cui versava, l'imponente architettura fascista avveniristica di vetri e cemento conservava intatto il suo fascino. Un tempo era stata frequentata ogni giorno da più di trecentocinquanta dipendenti e l'eco delle parate militari negli ampi cortili o delle feste nei saloni al pianterreno era ancora viva nei ricordi di qualche nostalgico. A Lolita quelle colonne e quelle arcate che ricordavano volutamente una fortezza fecero una certa impressione, mentre varcava l'ingresso di Madonnella. Tanto che s'accorse solo in un secondo momento del corpo scomposto del ragazzo che giaceva sul cemento del cortile, attorniato dal medico legale e dai tecnici della Scientifica. Si avvicinò a guardarlo, la curva della schiena, le mani che aveva visto disegnare, la stessa maglietta bianca. Le sfuggì una lacrima.

Un gabbiano affamato virò pericolosamente in basso mentre alzava gli occhi verso il cielo, cercando il punto dal quale Kenan doveva essere precipitato. Chissà cosa si nascondeva dietro quel gesto tragico e qual era il legame sotterraneo tra le due morti.

«A cosa pensi?» chiese Antonio tirandola per un braccio mentre tornavano alla macchina di servizio.

«Guarda la visuale del lungomare da qui» disse lei, inseguendo un altro percorso mentale. «È bellissima.»

L'ispettore si voltò distrattamente a osservare il quadrato turchese che si stagliava tra le file di palazzi color sangue di bue e ripeté la domanda un paio di volte, senza successo. Lolita continuava a essere svagata. «Sono sicura che le due morti sono collegate» disse poi.

«Pensi che l'abbia uccisa lui?»

«Non lo so. Ma anche questo potrebbe non essere un suicidio.»

«Mi pare un azzardo» osservò Forte scuotendo la testa. «Un serial killer a Bari è un'eccezione, non la regola. Penso piuttosto che il ragazzo si sia tolto la vita perché sconvolto dalla morte della Digioia. Era innamorato di lei, ha smarrito il suo punto di riferimento e si è visto perso.»

Lolita sbuffò. L'allusione all'indagine precedente l'aveva infastidita. Era passato troppo poco tempo perché si fossero rimarginate le ferite che aveva riportato dentro e fuori.

«Antò, che cazzo c'entra Del Giudice con il caso Digioia?! Stiamo parlando di un pazzo! Per quanto riguarda le cause, a questo punto sarei portata a non credere al movente sentimentale.»

«Che significa?»

«Quello che ho detto. Il questore ha ragione, non dovevo indirizzare le indagini seguendo la linea personale. Potrei sbagliare, ma a me il ragazzo è sembrato sincero e molto scosso. Certo, potrebbe essersi suicidato per il dolore, ma supponiamo che sia stato ucciso: se non ci sono gradi di separazione con Suni è probabile che non ce ne siano neanche con l'assassino. Questa tragica, nuova morte cambia tutto. Sono convinta che in una sequenza di finti omicidi si nasconda una matrice criminale, se non addirittura mafiosa.»

«Cosa te lo fa credere?»

«L'ambiente nel quale si muoveva Suni.»

«Quale ambiente?»

«Quello agricolo.»

«Sai qualcosa che io non so?»

«Non ancora, ma da adesso in poi facciamo sul serio. E lavoriamo sul movente.»

«E se invece il ragazzo si fosse ucciso?»

«Ci penserò domani. Aspettiamo i risultati dell'autopsia.»

Lolita e Forte s'incamminarono a piedi verso il lungomare. Erano da poco passate le diciannove e il cielo cominciava a colorarsi di rosa. A quell'ora nelle case si spegnevano i condizionatori e ci si riversava fuori sperando in un refolo d'aria. Chi con il cane, chi con il passeggino, chi con le scarpe da ginnastica all'ultima moda. Dal teatro Margherita in poi lo scenario cambiava, niente più runner, turisti o giovani coppie modaiole. Calzoncini, ciabatte e canottiera o una vestaglietta di cotone incrociata sul davanti e sollevata fino alle cosce per stare più freschi, gli abitanti di Bari vecchia e di San Girolamo si affollavano sul lungomare muniti di sedie di legno pieghevoli, tavolini da picnic e fornacelle. Tempo un'ora e la visibilità si sarebbe offuscata a causa della brace accesa e dei gnumridd che sfrigolavano sulla griglia, mentre i capifamiglia giocavano a tressette con la cassa della Peroni a portata di mano.

Lolita rientrò a casa che erano le dieci passate. Infilato sotto la porta trovò un biglietto di Caruso.

TI HO ASPETTATA INVANO, TORNO A SAN VITO. MI MANCHI.

Strappò il foglietto e lo gettò nella spazzatura. Quel solito tono a metà tra lo stizzito e l'ironico le dava sui nervi, Caruso era troppo permaloso per i suoi gusti e lei non aveva nessuna voglia di corrergli dietro. Le carezze sotto l'ulivo non erano bastate a sciogliere il ghiaccio tra loro due. Si versò un bicchiere di vino, riempì una coppetta di pistacchi e uscì sul terrazzo. Dal mare arrivava un refolo d'aria fresca e la voce di una cantante lirica che gorgheggiava in uno dei palazzi sul lungomare. Sfilò i tacchi e si sbottonò la camicia. Era stata una giornata pesantissima e non vedeva l'ora di fare una doccia. Quel caso la stava sfinendo.

Mentre lasciava scorrere l'acqua fredda sulla pelle accaldata, ricompose i pezzi del puzzle: la morte di Kenan Ba, i disegni, il poco che sapeva di lui e alcuni frammenti della conversazione avuta con Morisco qualche giorno prima.

«È arrivato dal Mali circa tre anni fa. Da quattro mesi risulta regolarmente assunto come bracciante da Terrarossa. Inoltre, è iscritto al primo anno dell'Accademia.»

«Qualche mese fa mi aveva detto di voler interrompere la nostra storia.»

«*Le ha spiegato perché?*»

«*Mezze frasi, qualche ammissione. Ho intuito la presenza di una terza persona.*»

«*Chi era?*»

«*Non lo so, ma credo un ragazzo molto più giovane di lei.*»

Tamponò la pelle con un telo di lino e si stese sul divano al buio. Dalla finestra aperta entrava uno spicchio di luna rossa e lo sciabordio delle onde. La ruota delle meraviglie non c'era più, ma alla ringhiera del balcone erano ancora attorcigliate le lucine dei Natali precedenti. Continuava ad accenderle tutto l'anno, persino a Ferragosto. Le mettevano allegria.

Prese il telefono e scorse la rubrica. Lo sguardo indugiò sul numero di Caruso. Bevve ancora un sorso di vino e telefonò invece a Forte.

L'ispettore rispose con la bocca piena di parmigiana sperando che non si trattasse di un'altra emergenza.

«Pronto, Lolì, dimmi.»

«Stavi mangiando per caso?»

«Nòne, perché?»

«Niente di preciso, m'è venuto in mente un pensiero.»

«Cioè?»

«Una sensazione.»

«E posso sapere qual è 'sta sensazione, visto che mi telefoni alle dieci passate e mi interrompi mentre sto mangiando la parmigiana di Giuseppina mia cognata, quella santa donna?»

Lolita, che la parmigiana se la sognava pure di notte, a dispetto manco gli rispose.

«Eh, mo' non mi ricordo» disse vaga. Ché la giornata era stata pesante e il calice di vino cominciava a fare il suo effetto.

8 agosto, sabato

Mancava una settimana a Ferragosto e il caldo continuava ad aumentare. La città era piena di turisti che si accalcavano tra il lungomare e Bari vecchia. Lolita si affacciò al balcone con una tazzina di caffè bollente tra le mani. La visione delle barche a vela che sfilavano sull'acqua eleganti come farfalle non servì ad alleggerire un inizio di giornata partito male, con i messaggi astiosi che la sorella le aveva inviato. Certo, Carmela aveva le sue ragioni, ma era forse colpa sua se, tra i problemi con il questore e l'indagine in fase di stallo, si era completamente dimenticata dei boccacci, dei pomodori scattarisciati e dell'aiuto che aveva promesso a sua madre per i giorni precedenti? Si trattava di salsa, non certo di massimi sistemi, eppure sua sorella si ostinava a non capire.

Finì di bere il caffè e provò a chiamare Caruso sul cellulare. Magari riuscivano a combinare una mezza giornata a Cala Cavallo, se non c'era troppa gente. Oppure in giardino, a prendere il sole sul prato.

Non fu cosa, Caruso non era raggiungibile, probabilmente per dispetto nei suoi confronti. Stava per chiamare Marietta quando ricevette una telefonata di Esposito.

«Dottorè, disturbo?»

«No, dimmi, Espò.»

«Il questore l'ha cercata con insistenza.»

«Il questore potrebbe cercarmi direttamente.»

Fatti vostri, dovette pensare Esposito, basta che non mi mettete in mezzo. Invece restò zitto.

«Ti ha detto perché?»

«Ha detto che ci sono novità, ma non ha precisato quali.»

«Vabbè, tra mezz'ora sto in questura. Avvisalo.»

«Comandi, dottorè.»

Lolita s'infilò velocemente nella doccia e in un quarto d'ora fu pronta. Sarebbe andata in questura con la Vespa, per fare prima. A svelare l'arcano sull'urgenza del questore ci pensò il sostituto procuratore assegnato al caso Digioia. Giorgio Monteforte la raggiunse telefonicamente mentre stava ripassando il mascara sulle ciglia davanti allo specchio del bagno. Esitò un attimo prima di rispondere. Forte non aveva tutti i torti: qualche tempo prima, dopo la sparizione di Caruso, presa dalla rabbia e in seguito alle pressioni di Marietta che le aveva sponsorizzato il collega, aveva cercato di distrarsi con Monteforte. La cosa adesso le causava un certo imbarazzo, ma decise di far finta di nulla e rispose alla chiamata.

«Pronto?»

«Buongiorno, Lolita, sei al corrente degli ultimi sviluppi?»

«Ciao, Giorgio, ancora no, sto andando in caserma per un incontro con il questore. Mi ha anticipato che ci sono delle novità, ma non conosco i dettagli.»

«Allora ci vediamo in questura, è stata indetta una riunione per le dieci e trenta. Sono arrivati i referti dell'autopsia del migrante ritrovato cadavere nell'ex caserma dell'aeronautica.»

«Kenan Ba, certo. Hanno fatto prestissimo.»

«L'avevo chiesto espressamente. Ebbene, il dna del ragazzo è lo stesso ritrovato sulla Digioia. Non c'è dubbio che i due abbiano avuto un rapporto sessuale prima dell'omicidio.»

Lolita rimase muta, un brivido la attraversò nonostante il caldo asfissiante di agosto.

«Dottoressa, sei in linea?»

«Sì sì, scusami. Riflettevo. Se volessimo riconsiderare il movente passionale, Kenan Ba potrebbe averla uccisa, magari per gelosia, simulando un suicidio nella speranza di farla franca, e in seguito essersi tolto la vita per rimorso o perché la notizia che si trattasse di un omicidio era ormai di dominio pubblico e riteneva di non avere scampo. Ma a me quel ragazzo pareva sincero. Suni sembrava ricambiarlo e anche Morisco si era accorto che c'era un altro. Perché Kenan Ba avrebbe dovuto ucciderla?»

«Infatti hai ragione, c'è dell'altro.»

«Di cosa si tratta?»

«Con la Digioia si è trattato di un rapporto consenziente, non c'erano tracce di violenza sul corpo della donna. Ci sono invece abrasioni su entrambi i polsi del ragazzo, compatibili con una corda o delle manette. Qualcuno lo ha tenuto legato, forse per condurlo sul luogo del delitto, e dopo averlo liberato lo ha spinto nel vuoto. Quasi certamente si tratta della stessa persona che ha ucciso la Digioia. È plausibile che abbia agito con l'aiuto di complici in entrambi i casi.»

«Questo cambia completamente le cose.»

«Soprattutto esclude il movente passionale. Viene meno il dolo d'impeto. Invece è fuori di dubbio la macchinazione messa in piedi per riversare la responsabilità del primo omicidio su Kenan Ba, dopo che le indagini hanno chiarito che non si trattava di suicidio. Per motivi che è facile intuire. Politici, soprattutto.»

«Sì, certo» mormorò Lolita ancora sconvolta. Per un attimo le lampeggiarono nella testa le immagini di Morisco e sua moglie intenti ad appendere Suni a una corda e a spingere Kenan dal terrazzo della caserma, ma le cancellò immediatamente. No, c'era qualcosa di molto più grande dietro. E toccava a lei scoprirlo.

«Un'ultima cosa» aggiunse Monteforte. «La struttura ossea del ragazzo presenta lesioni e vecchie fratture. Gambe, braccia e costole spezzate in più punti, probabilmente in periodi diversi.»

Lolita ripensò alla schiena curva che aveva notato subito nel ragazzo. «Vecchie quanto?»

«Un anno o due, alcune anche più recenti. Un paio guarite male.»

«Cosa significa?»

«Può significare solo una cosa: il ragazzo per molto tempo è stato picchiato con regolarità.»

La tangenziale era intasata e arrivò a San Vito che erano già le due. La riunione indetta dal questore era andata avanti per un paio d'ore ed era passata da casa a cambiarsi. Nella piccola frazione marina di Polignano non c'era più un posto libero. Il cancello della casa bianca era aperto, con la station-wagon di Caruso parcheggiata di traverso. Aveva il motore acceso e il portellone posteriore sollevato. All'interno si intravedevano un borsone di cuoio, un paio di ciotole per Buck e una confezione da cinque chili di croccantini al manzo. Segnali inequivocabili di una partenza. Ancora una volta senza avvertirla. Lolita ebbe una sgradevole sensazione di déjà-vu che le attanagliò lo stomaco, ma soffocò l'impulso di precipitarsi dentro a fare una piazzata. Incrociò le braccia, si appoggiò al cancello e attese.

Giancarlo uscì qualche minuto dopo, i capelli scompigliati e umidi, un sigaro in bocca e il cane al suo fianco.

«Lolita. Ma guarda.»

«Ciao, Carù, stai partendo?» fece lei, fingendo indifferenza mentre il sangue le ribolliva nelle vene.

«Sì. Una cosa breve.»

«Dove si va?»

«Faccio un giro nel Gargano.»

«Potevi dirmelo.»

«Infatti. Sono venuto ieri a Bari apposta. Speravo di cenare con te e di proporti un fine settimana insieme, ma tu non c'eri né ti sei fatta sentire dopo aver trovato il biglietto.»

«Io lavoro, caro mio. Non ho certo preso un anno sabbatico come qualcuno di mia conoscenza.»

Buck saltò in macchina e Caruso chiuse il portellone.

«Tranquilla, l'anno sta per scadere e anch'io torno a fare il poliziotto. Lunedì mattina ho appuntamento con il questore di Foggia per l'incarico che assumerò a Manfredonia. Non conosco la zona e ne approfitterò per cercare casa. Tra una ventina di giorni al massimo mi toccherà trasferirmi.»

«Sono posti bellissimi e non mi pare un grande sacrificio.»

«La parte difficile sarà stare lontano da te.»

«Bugiardo.»

«È così.»

«Nessuno ti obbliga ad andare.»

«Devo lavorare, Lolita. E sono convinto che stare lontani ci farà bene.»

«Non credo, io mi conosco. Ho bisogno di presenza. La distanza servirà soltanto a perderci per sempre. Se non ti vedrò spesso dimenticherò perfino la tua faccia.»

«Allora vuol dire che sarà meglio per tutti e due. Del resto sono io ad aver subìto i tuoi alti e bassi dal giorno che t'ho incontrato.»

«Che faccia di corno! Chi è sparito per mesi senza neppure una parola? Tu o io?»

«Ancora con questa storia? Sono tornato, ti ho spiegato, abbiamo ricominciato, e tu continui a fare i capricci, ad allontanarmi, a non farti trovare.»

«Ad allontanarti? Ma se stai partendo senza neanche avvisare.»

«Ti avrei chiamato più tardi.»

«Giura.»

«Lo sai che è così.»

«Non so niente. Ho provato a cercarti stamattina, ma era spento. E adesso sono qui, come vedi.» La bocca le tremò, forse per la rabbia, forse per il dispiacere di perderlo.

«Parti con me. A Termoli noleggiamo una barca e andiamo alle Tremiti. Domani pomeriggio scendiamo a Mattinata e passiamo la notte lì.»

«Che meraviglia quelle isole, sono almeno vent'anni che non ci vado.»

Giancarlo controllò l'orologio.

«Sali in macchina. Se non c'è troppo traffico saremo a San Domino all'ora del tramonto. In tempo per l'aperitivo.»

Lolita s'irrigidì. Pensò a Suni, a Kenan, agli omicidi ancora irrisolti.

«Non è cosa.»

«Perché?»

«Come faccio con la questura?»

«Avvisa il tuo vice e fatti sostituire per quarantott'ore.»

«Lunedì alle dieci e trenta è stata fissata un'altra riunione con il questore.»

«Ce la fai. Saltiamo la colazione e alle otto prendi un treno da Foggia.»

Lolita si morse le labbra, indecisa.

«Allora?» incalzò Caruso, impaziente.

«E che faccio, parto in queste condizioni?» protestò, indicando gli shorts di jeans, il top di seta rosa e le infradito di gomma.

«Stiamo andando al mare, non ti serve altro che un costume da bagno e lo spazzolino da denti. Nel mio armadio dovrebbe esserci qualcosa di tuo. Credo un vestito e un paio di camicie. Basteranno.»

«Va bene. Dammi il tempo di controllare.»

«Aspetta.»

Caruso la tirò per i polsi e la spinse contro l'auto. «Prima baciami.»

Lei sorrise, quel solito sorriso che illuminava tutto. «Baciami tu.»

10 agosto, lunedì

L'azienda agricola Terrarossa, a pochi giorni dalla tragica morte della titolare, sembrava aver ripreso a pieno ritmo l'attività, nonostante un silenzio composto aleggiasse nei viali alberati e nei capannoni dello stoccaggio dei pomodori e degli altri ortaggi.

La commissaria Lolita e l'ispettore Forte, arrivati intorno a mezzogiorno e senza alcun preavviso, si rivolsero a un paio di ragazzini che scorrazzavano su vecchie biciclette da cross.

«Ciao, come vi chiamate?» li apostrofò Lolita.

«Ciao. Io Alberto e lui Giuseppe» rispose il più piccolo dei due.

«Tu chi sei?» chiese l'altro con tono indagatore. «E lui?»

«Mi chiamo Lolita. E lui è Antonio.»

«Siete poliziotti?»

Lolita e l'ispettore si guardarono stupiti: dunque si vedeva così tanto?

«E voi come fate a saperlo?» chiese Forte, burbero.

Il ragazzino scrollò le spalle. «Siete arrivati con la macchina della polizia, quindi...»

«Giusto» concesse la commissaria. «Siete ottimi osservatori.»

«Ce l'hai la pistola?» s'informò il più piccolo.

«Oggi no. Non dobbiamo inseguire nessuno.»

«Ah, peccato. E le manette?»

Forte frugò nella tasca e ne fece dondolare un paio sotto il naso dei due ragazzini.

«Wow!»

«Bellissime!»

«Contenti? Adesso però le domande le facciamo noi.»

«È un interrogatorio?» chiese Alberto con un velo di preoccupazione sul volto.

«Non proprio. Diciamo che fate parte dei nostri informatori.»

«Ci date un distintivo?»

«La prossima volta. Oggi vi diamo i soldi per il gelato.»

I due risero e si abbracciarono. «Davvero?! Cinque euro?»

«Va bene.»

«Affare fatto. Dammi un cinque!»

«Sapete dirci dove possiamo trovare Domenico, il guardiano?»

Giuseppe e Alberto si guardarono in viso con aria interrogativa. «Ah, state cercando Minguccio» esclamarono poi, indicando una costruzione bassa delle dimensioni di una roulotte, dipinta a calce viva. La porta era chiusa. Dal gancio attaccato al muro penzolava una catena. «Abita là ma adesso non c'è.»

«Sapete dov'è?»

I ragazzini scossero la testa. «È venuta l'ambulanza a prenderlo» disse il più grande dei due.

«Quando?»

«Un giorno.»

«E il cane?» Lolita indicò con la testa la catena penzolante.

«Giove è scappato.»

«Grazie, ragazzi, siete stati utilissimi» disse Forte ricompensandoli con qualche moneta e avviandosi verso la palazzina centrale.

«Antonio, aspetta...»

Lolita si era fermata davanti a uno dei capannoni in attesa che l'altro tornasse sui suoi passi. Un muletto guidato da una ragazza dalla pelle scura andava avanti e indietro allineando centinaia di cassette piene di pomodori rosso fuoco.

Ne prese un paio, li strofinò sui jeans e ne addentò la polpa succosa.

«Uhm, buoni.»

«Che c'è?»

«Vieni.»

«Che stai facendo?» la rimproverò Antonio. «Ti mangi i pomodori? Ti rendi conto che siamo qui per un omicidio?!»

«Uh, quante storie per un pomodoro! Tiè, assaggia. Sono quelli per fare la salsa. C'è tutto il sole della Puglia qua dentro.»

«Che c'è, ti pagano per fare la pubblicità? Non ne voglio, non mi piacciono i pomodori maturi.»

«Peggio per te. Aspè, facciamo due chiacchiere con il personale.»

«Come vuoi.»

Lolita si pulì le labbra con il dorso della mano, chiese permesso, disse buongiorno e s'infilò nell'hangar.

Davanti ai lunghi banconi di marmo di Carrara ricoperti da un fiume rosso di pomodori, giovani donne straniere abbigliate con camice e cuffietta color malva erano intente a scegliere i migliori e a disporli sui plateau di legno. Dopo aver risposto sommessamente al saluto, continuarono a lavorare a testa bassa con gesti precisi e veloci. Dall'altoparlante arrivava un canto popolare orientale, quasi un lamento funebre. Su un piccolo altarino pieno di fiori e di ceri accesi erano appoggiate due cornici di legno chiaro dipinto a mano con una fotografia di Suni, vestita con un sari arancione, e l'altra di Kenan, con una maglietta azzurra, una cassetta di pomodori sulle spalle e un grande sorriso sulle labbra che arrivava fino agli occhi. Solo allora Lolita capì che le donne pregavano, ognuna nella propria lingua. Si avvicinò al primo bancone, congiunse le mani e pregò insieme a loro per qualche minuto.

«Ciao, conoscevi Suni?» chiese una delle più giovani, le lacrime impigliate nelle ciglia lunghissime.

Lolita scosse il capo. «Purtroppo no.»

«E Kenan? Conoscevi Kenan?» domandò un'altra mentre strofinava i pomodori con un panno bianco.

«Gli ho parlato solo una volta. Mi piacerebbe conoscere la sua storia.»

Le donne tacquero, qualcuna rialzò la testa per guardarla. Un'altra indicò una ragazza con le mani avvolte in guanti di gomma gialla che sciacquava i pomodori in una grande vasca di pietra.

«Chiedi ad Abeba» disse sottovoce. «Lei sa.»

La commissaria percorse un tratto di corridoio tra due banconi di marmo finché un donnone sulla quarantina con la pelle colore del miele scuro le sbarrò il passo.

«Chi sei, signora? Tu hai permesso? Ci vuole permesso per stare qui.»

Lolita si bloccò un istante, sfilò il tesserino e lo mostrò alla donna. «Polizia.»

Polizia polizia polizia polizia polizia polizia polizia polizia...

L'eco risuonò di bocca in bocca, piano e colma di spavento. In un angolo dello stanzone Abeba aveva cominciato a singhiozzare.

La caposquadra si scostò per lasciarla passare. «Abeba è sorella di Kenan. Non ha fatto niente. Tu gentile con lei, capito?» le urlò mentre Lolita scompariva con la ragazza dietro una porta di ferro.

Uscirono dopo una mezz'ora, tenendosi per mano, entrambe con gli occhi lucidi. Le altre le osservarono senza fiatare, sempre intente a selezionare i pomodori migliori e a sistemarli sui plateau. Quando Abeba si rinfilò i guanti di gomma e tornò a occupare il suo posto alla vasca e la commissaria salutò guadagnando l'uscita, le ragazze abbassarono il capo e ricominciarono il loro lamento funebre.

Lolita cercò Forte con lo sguardo. Il sole era caldo e accecante. Si schermò gli occhi con una mano e lo individuò poco distante dal capannone mentre, appoggiato al tronco di un grande carrubo, si godeva l'ombra e smanettava con il telefono.

Era talmente immersa nel dolore di Abeba che non sentì nemmeno il rombo della macchina scura che sfrecciava nel viale in direzione degli uffici.

«Be', ti sembra il modo di comportarsi?»

«Cioè?»

«Io lavoro e tu perdi tempo.»

L'ispettore si raddrizzò immediatamente. «Ma quale perdere tempo, che dici! Pigliavo appunti, pigliavo.»

«Che genere di appunti?»

«La targa della Maserati, per esempio.»

«Quale Maserati?»

«Ecco, lo vedi? Ne è appena passata una e per un pelo non ti investiva.»

«Addirittura! Madò, Antò, come sei esagerato. Andiamo, voglio fare un giro nella palazzina degli uffici.»

«... e magari anche nella rimessa» aggiunse Forte a bassa voce, indicando il capanno all'interno del quale era stato ritrovato il corpo di Suni. Sul portone, tra i sigilli si intravedeva la macabra frase scritta con il rossetto scarlatto.

Lolita sospirò e tirò dritto. Nei giorni precedenti aveva esaminato le foto della scena del crimine e aveva provato una forte inquietudine. Certo, senza il corpo che penzolava dalla corda, e alla luce del sole, l'impatto sarebbe stato meno drammatico, ma ne avrebbe fatto volentieri a meno.

«Ci andiamo dopo. Preferisco fare gli interrogatori, prima. Ricordami i nomi del ragioniere e dell'amico di famiglia.»

«Come vuoi. Ragionier Michele Gentile, quarantaquattro anni, nato a Bari. Lavora per Terrarossa da venticinque anni, vive con la famiglia in una dépendance. I ragazzini sono i suoi figli più piccoli. Ha due femmine più grandi che frequentano il liceo scientifico.»

«Bravo. La Maserati è la sua?»

«No, ha una vecchia Panda. Di solito viene usata dalla moglie per portare i figli a scuola e per fare la spesa, oppure dalla primogenita che ha appena preso la patente. La Maserati appartiene a Umberto D'Angelo, nato a Cerignola sessantadue anni fa, noto imprenditore agricolo insignito del titolo di commendatore, molto vicino alla famiglia Digioia. Al funerale era seduto al fianco della madre di Suni. Ha una casa a

Trani, ma si sposta spesso per seguire i suoi affari. In Italia e all'estero.»

«Dov'erano la sera della disgrazia?»

«Gentile si trovava a casa con la famiglia. Al mattino deve alzarsi molto presto per aprire l'azienda e la sera alle ventidue dorme già della grossa. La moglie ha confermato. Il commendator D'Angelo era a mangiare pesce al ristorante Il delfino blu di Palese insieme ad alcuni collaboratori. Abbiamo verificato l'alibi.»

Lolita lo guardò ammirata. «Oh, Antò, stai migliorando. Quasi quasi meglio di Esposito.»

«Scema.»

«Andiamo. Spero di chiudere il caso entro un paio di giorni e andarmene in montagna. Questo caldo mi sfinisce.»

«In montagna, addirittura.»

«Sì, vado, mi godo il fresco e non ci sono per nessuno!»

«Neanche per me?» piagnucolò l'ispettore.

«Neanche. Però ti porto l'amaro Braulio.»

«I panzerotti voglio, Lolì.»

«Fai passare il caldo e li facciamo.»

«Lo sai che se rinasco ti sposo, vero?»

«Ma chi ti vuole?» rise la commissaria dandogli una piccola spinta prima di raggiungere il fabbricato.

La vista del commendator Umberto D'Angelo, impettito a riceverla sulla scalinata che conduceva alla casa padronale dei Digioia, le ricordò uno di quei film che vedeva con sua nonna quando era bambina. Quelli con le crinoline, gli schiavi e i «gentiluomini» dell'America del Sud.

L'uomo si profuse in un inchino teatrale, tentò un baciamano che Lolita rifiutò prontamente e ripiegò allora su un sonetto di William Shakespeare.

«Dagli occhi delle donne derivo la mia dottrina: essi brillano ancora del vero fuoco di Prometeo, sono i libri, le arti, le accademie, che mostrano, contengono e nutrono il mondo.»

«Ha ancora un'ottima memoria» lo gelò la commissaria,

che già di suo non faceva grazia a nessuno, figuriamoci a un commendatore in doppiopetto gessato perfino in agosto. «Di solito certi componimenti si imparano al liceo, e a occhio e croce deve essere passato almeno mezzo secolo.»

D'Angelo incassò il colpo con eleganza e si profuse nuovamente in un inchino solenne. «Dottoressa, sono ammirato. Le voci su di lei dicono il vero: bellezza, intuito e grande dose di ironia. La perfezione, se mi permette.»

«Commendator D'Angelo, la prego. Solo Dio è talmente perfetto da non aver bisogno di esistere» citò. «Io invece sono maledettamente concreta.»

D'Angelo allargò le braccia sconsolato. «Viva le donne. *Ubi maior minor cessat*. Lo scettro è vostro, ormai noi uomini siamo completamente nelle vostre mani.»

«Buon per voi, di certo non vi farete male. Peccato non poter dire la stessa cosa per le donne. È sufficiente guardare le statistiche degli omicidi per rendersi conto della realtà.»

Il sorriso dell'uomo si spense. La commissaria era un osso duro, un mezzo maschio, a dispetto dei tacchi e della camicia aderente che indossava. Allargò di nuovo le braccia e li condusse in uno degli uffici ricavati nella vecchia casa. «Cosa posso fare per lei? È qui per la morte di Suni, immagino.»

«Immagina bene. Dovrei rivolgerle qualche domanda.»

«Prego, prego. Sono a completa disposizione. Gradite un caffè?»

«Non si disturbi, siamo in servizio.»

«Disturbo?! Ma che disturbo, vogliamo scherzare? Cirù» proseguì, rivolgendosi a un uomo sulla cinquantina, «portaci tre caffè.»

«Subito, commendatore» assicurò l'uomo, chiudendosi la porta alle spalle.

«Ciruzzo e poi?» s'informò la commissaria.

«Ciro Correale detto Maradona.»

«Perché Maradona?» intervenne l'ispettore Forte.

«In onore del *pibe de oro*.»

«Gioca a calcio?» s'informò Lolita. Ché per lei Maradona restava un dio caduto sulla Terra.

«Be', no, commissà» sorrise il commendatore, «ma a guardarlo si capisce, no? Basso, i capelli ricci e scuri, le gambe da cowboy. Un po' gli assomiglia. E c'ha pure la fissazione per il Napoli.»

«Sì, può essere» concesse lei. «Da quanto tempo lavora a Terrarossa?»

«Oh, no no. Ciro non lavora qui, è un mio stretto collaboratore. Autista, uomo di fiducia, cassiere. Dove vado io, viene lui. Più di un fratello, mi creda.»

«Commissà, il commendatore ha ragione» intervenne Maradona che nel frattempo era rientrato, posando sulla scrivania un vassoio con tre caffè e una caraffa d'acqua. «Da venticinque anni sono la sua ombra. Quanto zucchero vi metto?»

«Niente, grazie, lo bevo amaro.»

«E l'ispettore?»

«Amaro pure io.»

Lolita inghiottì il caffè tutto d'un sorso, posò con cura la tazzina e chiese di visitare gli uffici. D'Angelo restò perplesso qualche secondo, poi scattò in piedi. «Adesso?»

«Adesso, sì.»

«L'accompagno sul retro.»

D'Angelo la precedette mostrandole un paio di stanze usate dai contabili. Erano deserte, con le scrivanie ancora in disordine e i computer accesi. «Dove sono gli impiegati? E il ragionier Gentile?» chiese Lolita.

«Assenti. Poco fa ho concesso a Rino e a Mauro un pomeriggio di libertà. Anche Michele ha preso qualche giorno di ferie.»

«Che strana decisione. Siamo nel pieno della raccolta estiva.»

«Ha ragione, ma i dipendenti sono ancora sconvolti per la morte di Suni. Lavoravano fianco a fianco per molte ore al giorno e un po' di riposo non può che aiutare. Inoltre, come immagino saprà, ho assunto l'incarico di curatore dell'azienda e nei prossimi giorni ho necessità che siano presenti i miei fidatissimi contabili. La piccola Suni era una sognatrice e i bilanci di Terrarossa sono da tempo in forte perdita. Per carità, fino a che c'era lei come amministratrice unica l'ho aiutata come ho potuto, nonostante non fossimo in linea sulle scelte di gestione. Ho ripianato debiti e concesso prestiti, ma adesso non posso permettere che l'azienda vada a rotoli.»

«Ha intenzione di acquistarla?»

Il commendator D'Angelo scoppiò a ridere. Una di quelle risate grasse che devi trattenerti la panza. E lui così fece.

«Cosa fa, ride?» domandò la commissaria, gelida.

«Mi scusi, dottoressa, mi è scappata. E sa perché?»

«Aspetto che me lo dica lei.»

«Guardi, ho sborsato tanti di quei soldi per Terrarossa che non basteranno tutte le proprietà della famiglia Digioia a ripagarmi. Mi dispiace dirlo in un momento come questo, ma altroché comprarla! L'azienda diventerà automaticamente mia in breve tempo e nonostante questo avrò fatto un pessimo affare.»

«Non mi pare che questo giustifichi la sua reazione scomposta. Si rende conto che ci sono due morti e ancora nessun colpevole?»

«Due morti?» trasecolò il commendatore. «No, scusi, mi faccia capire. Chi sarebbe il secondo?»

«Si tratta di Kenan Ba, un ragazzo originario del Mali regolarmente assunto come bracciante in questa azienda qualche mese fa. Lo conosceva?»

«Non credo. Ci saranno duecento braccianti tra la sede principale e i campi esterni. Impossibile conoscerli tutti. Inoltre, non mi sono mai occupato direttamente dei dettagli amministrativi né delle assunzioni di Terrarossa. Diciamo che sono sempre stato più, come dire, un finanziatore occulto.»

«Chi si occupava delle assunzioni?»

«Suni, naturalmente. Selezionava la manodopera e non solo. Tendeva a occuparsi di ogni cosa e questo era un problema, perché non è materialmente possibile seguire tutti gli aspetti di una grossa azienda.»

«Nella sua chi si occupa delle assunzioni?»

Il commendator D'Angelo si accomodò a una scrivania, prese carta e penna e cominciò a tracciare delle linee. «Dipende, commissà, bisogna specificare.»

«Cioè?»

«Occorre distinguere il personale amministrativo dalla manodopera.»

«Sta bene. Lei come si regola?»

«Nel primo caso se ne occupa il commercialista. Legge i curricula, fa una selezione dei candidati e mi sottopone una rosa di nomi. Nel secondo caso, pensa a tutto Maradona.»

«Cioè Correale» specificò Lolita, puntigliosa come al solito.

«Esatto. È lui che tratta con i caporali per mettere su le squadre. Sa di cosa sto parlando, vero?»

«Più o meno» mentì la Lobosco.

«Ah, il gentil sesso!» scherzò D'Angelo. «Le spiego: dunque, i caporali sono dei mediatori tra imprenditori agricoli e braccianti, esaminano le squadre che vengono proposte, le documentazioni, i permessi di soggiorno e i certificati medici. Diciamo che rappresentano una sorta di garanzia per entrambe le parti.»

La commissaria lo guardò con severità. Raccontata così la figura del caporale appariva dignitosa e indispensabile, invece le cronache giornalistiche e le inchieste giudiziarie testimoniavano una realtà ben più crudele. I caporali al soldo di certi imprenditori senza scrupoli erano figure simili ai negrieri delle piantagioni di cotone in America del Sud, ai tempi della guerra di secessione. I braccianti, italiani, dell'Est Europa o extracomunitari, erano gli schiavi del nuovo millennio. Sfruttati talvolta fino alla morte, privati di ogni diritto e dignità, e spesso anche dei documenti.

Pochi mesi prima, la notizia di un ragazzo di ventisette anni, Camara Fantamadi, crepato di caldo e di fatica al termine di una giornata di lavoro pagata appena sei euro all'ora, si era aggiunta alla tragedia di Paola Clemente, una madre di quarantanove anni morta nei campi con il cuore spaccato a metà, e a quella di molti altri braccianti. Il presidente della regione Puglia era intervenuto con un decreto a tutela dei lavoratori e aveva proibito la raccolta nelle ore più calde, ma erano gli stessi caporali a violare le regole obbligando i braccianti, spesso clandestini, a lavorare in condizioni estreme.

Prima ancora di terminare con il commendatore, la Lobosco si rivolse a Maradona, che di tutto il discorso non aveva perso mezza parola.

«Dunque lei sarebbe un caporale, dico bene, Correale?»

«Diciamo» minimizzò quello alzando le spalle. E non si capì se stava fiutando il pericolo o per falsa modestia.

«"Diciamo" in che senso?» proseguì discorsiva la commissaria. Le pareva di aver trovato una crepa e stava provando a infilarcisi dentro.

«Nel senso che io lavoro solo per il commendatore. Abbiamo le nostre squadre, i pullman con l'aria condizionata, gli alloggi con le docce.»

«Un caporalato a cinque stelle allora» chiosò Lolita.

«Mi creda, dottoressa, sembra un lavoro facile ma non lo è. Ci vogliono grande responsabilità, equilibrio, perfino un'ottima memoria.»

«Memoria?»

«Certo. Personalmente tengo a mente tutti i braccianti di don Umberto, uno per uno. I vecchi e i nuovi, nessuno escluso.»

«Complimenti. Se è d'accordo la metto subito alla prova.»

«A disposizione, commissà.»

Lolita tirò fuori dalla tasca posteriore dei jeans una fototessera e la mise sotto gli occhi dell'uomo. Ritraeva un giovane dalla pelle scura con un medaglione appeso al collo e una maglietta bianca.

«Ha mai visto questo ragazzo?»

Gli occhi di Correale erano neri e grandi come le olive di Cerignola, e quando si posarono sull'immagine non registrarono alcuna emozione.

«No, mai. Dovrei?»

«Non necessariamente: è il bracciante di cui parlavo prima, Kenan Ba. Era arrivato in Italia circa tre anni fa. Mi chiedevo se per caso avesse fatto parte di una delle sue squadre.»

Maradona prese la foto tra le mani, la guardò con maggiore attenzione.

«Mi faccia vedere meglio, magari ha lavorato per qualche mio conoscente.»

Lolita lo osservò con aria interrogativa.

«Sa come vanno le cose di questi tempi, con il lavoro che manca e la gente che muore di fame. Con la pandemia c'è penuria di manodopera, ma è necessaria quella specializzata, ci vogliono i permessi di soggiorno e le carte in regola. Quando capita faccio dei favori agli amici.»

«E il suo principale cosa ne pensa?» chiese Lolita, guardando D'Angelo con intenzione.

«Cosa vuole, dottoressa» fece quello con aria da filosofo, «il mondo agricolo è un ambiente duro. Se non ci diamo una mano tra noi...»

Lolita controllò l'ora, erano passate le due. «Capisco. Grazie per la collaborazione. Io e l'ispettore Forte andiamo via tra poco, prima facciamo un paio di sopralluoghi nell'azienda.»

D'Angelo scattò in piedi. «Certo, certo. Aspettate che vi accompagno. Maradò, facci strada, la dottoressa e l'ispettore vogliono fare un giro della tenuta.»

«Alt.» La Lobosco li fermò entrambi con un gesto perentorio della mano. «Non vi disturbate, grazie. Abbiamo la piantina di Terrarossa e le autorizzazioni del magistrato per le parti poste sotto sequestro. Nessun altro a parte noi può entrare.»

D'Angelo abbozzò un inchino. «Come vuole, dottoressa Lobosco, non insisto. Naturalmente io e Ciro restiamo a disposizione per qualsiasi cosa. Mi faccia sapere.»

«Grazie, commendatore, terrò presente. Ah, Maradò, forza Napoli. Ché è vero che tifo Bari, ma dentro anch'io sono mezza napoletana.»

A Ciro Correale detto Maradona gli si illuminarono gli occhi per la commozione. Per lui il Napoli era una fede, anzi di più: una ragione di vita. E Maradona appresso al Napoli. Un esempio, un dio, Cristo sceso sulla Terra.

«Sempre forza Napoli, dottorè! Madò, che bello, siete mezza napoletana pure voi. E chi lo doveva dire!»

Lolita e Forte scesero i gradini lentamente e fecero il giro della masseria. Attaccati al portoncino verde c'erano i sigilli che l'ispettore provvide a rimuovere, non prima di aver indossato un paio di guanti in lattice. Portavano la data di due giorni dopo il ritrovamento del cadavere. Lolita fece la stessa cosa prima di varcare la soglia e cominciare a scattare le foto con una piccola macchina digitale.

Nel salotto all'ingresso Suni Digioia doveva essersi intrattenuta con un personaggio chiave ai fini dell'indagine, probabilmente Kenan. Sul tavolino c'erano ancora i due calici con residui di vino rosso e una bottiglia quasi vuota. Su un paio di piattini, avanzi di crostini di pane nero e guacamole. Lolita osservò in controluce i calici. Su uno c'erano tracce di un rossetto chiaro. Impronte di labbra femminili. Prese l'altro e lo infilò in uno dei sacchetti in dotazione alla Scientifica.

«Che fai?»

La commissaria si girò di scatto.

«Antò, non lo capisci? Potrebbe esserci il dna dell'assassino stampato sopra. Aver dato per scontato il suicidio ci ha fatto solo perdere tempo.»

«Era quello che voleva l'assassino, no? Nessuno ha pensato di campionare subito i reperti. Per fortuna non è stato toccato nulla, pensa se la domestica avesse lavato i bicchieri.»

«Già.»

«In quel caso avremmo trovato altri indizi. Il delitto perfetto non esiste.»

«Ha parlato Sherlock Holmes, ha parlato.»

«Lolì, tu non mi prendi sul serio, quell'è.»

«Statt'zitt', Antò, e vediamo nelle altre stanze cosa c'è.»

La casa era molto ampia, arredata con gusto e ben tenuta. Pavimenti in pietra, tappeti persiani a coprire le chianche, pezzi antichi di grande pregio.

La camera da letto era stata realizzata con legni dorati e tessuti di broccato color ocra.

Sul copriletto spiegazzato erano riconoscibili le forme di due corpi. Suni aveva fatto l'amore poco prima di morire, come era emerso dall'autopsia. Lolita aprì la porta del bagno, raccolse due piccoli asciugamani posati accanto al bidè e campionò anche quelli.

Forte la chiamò dal salotto.

«Vieni un attimo.»

«Cosa c'è?»

«Senti, forse è meglio che ci fermiamo. Conviene chiamare i colleghi della Scientifica.»

«Che hai trovato?»

«Guarda, qui c'è un altro bicchiere. Quasi certamente quella sera è arrivata una terza persona» spiegò Forte, mostrandole il calice con il fondo macchiato di vino rosso posato sul pavimento, accanto al divano.

Lolita storse le labbra. «Potrebbe darsi, ma c'è la possibilità che il bicchiere sia stato dimenticato lì, magari dal giorno prima. Comunque sì, avverti i tecnici che a Terrarossa c'è parecchio materiale. Bisognerà lavorare su impronte e dna.»

Il suono lacerante di una sirena interruppe la conversazione annunciando la fine del turno.

L'ispettore scostò il polsino della camicia e controllò l'ora. «Sono già le tre. Personalmente un certo appetito ce lo avrei, ce ne andiamo o ci pigliamo una cosa fresca dal distributore automatico che ho visto nella palazzina degli uffici? Decidi tu.»

La commissaria lo guardò con riprovazione. «Gesù, sei il solito barese! Non riesci a stare un'ora senza pensare al cibo. Abbiamo bevuto il caffè con il commendatore un'oretta fa.»

«Ha parlato la milanese, ha parlato» la rimbeccò Antonio. «Allora?»

«Allora niente. Facciamo un sopralluogo nella rimessa, una visita agli alloggi dei braccianti e dopo ti offro una zuppa di pesce.»

Forte sorrise, rinfrancato. «Oh, adesso sì che ti riconosco. C'è un ristorantino da queste parti che è la fine del mondo. Ci sono stato un paio di anni fa con...»

«Antò!» lo interruppe con stizza la commissaria. «Ho detto *dopo*. Smettila di fare il coglione.»

Forte strabuzzò gli occhi. «Il coglione a me?! Ma quando mai, ma come ti permetti. Oh Lolì, amica e buona, tu la devi finire di bullizzarmi, altrimenti faccio ricorso al questore. Questo è mobbing, lo sai pure tu.»

Lolita si tirò il portoncino alle spalle, rimise i sigilli a posto e appose la propria firma.

«Vuoi fare ricorso?» replicò serafica mentre si dirigeva verso la rimessa. «Fai pure, tanto se uno è coglione, coglione resta.»

«Non è giusto» protestò Forte offesissimo. «Ti incazzi con Caruso e te la pigli con me.»

«Non ti azzardare» s'innervosì Lolita, che fino a quel momento si era mantenuta calmissima. Da qualche mese Giancarlo era diventato il suo tallone d'Achille e Antonio lo sapeva bene.

Davanti alla rimessa, in segno di lutto per Suni, erano stati sistemati grandi cesti contenenti vasi di ortensie di vari colori, ai quali erano legati nastri di raso nero. Per terra, in direzione della porta, erano ammonticchiati piccoli mazzetti di fiori, qualcuno secco, qualche altro appena raccolto. Lolita li spostò uno alla volta con delicatezza, poi alzò lo sguardo sulla scritta rossa e rabbrividì, nonostante ci fossero almeno trentasette gradi.

«Quanto ci mettono quelli della Scientifica?»

«Li ho chiamati poco fa, non saranno qui prima di mezz'ora.»

«Allora sarà meglio entrare per conto nostro. Ah senti, occorrerà anche una perizia calligrafica. Di certo il messaggio non è stato scritto dalla vittima.»

«Be', caspita, facciamo passi avanti» ironizzò l'ispettore, che ancora non aveva digerito il «coglione». Spinse con forza la porta della rimessa e si fece da parte per lasciar passare il suo capo.

«No no, prima tu» sussurrò Lolita facendo un passo indietro. Nonostante i raggi del sole piovessero dalla finestrella illuminando l'interno del capanno, la visione del cappio che penzolava dalla trave la impressionò.

«Che c'è, Lolì, ti metti paura?» chiese Forte protettivo, toccandole un braccio.

«Un poco sì» ammise lei, a bassa voce.

«I vivi devi temere, non i morti. Lo sai, no?»

«Che c'entra? La Digioia era solo una ragazza, sapere che è morta qui mi fa star male.»

«Tranquilla, continuo da solo. Do un'occhiata e scatto un paio di foto. I colleghi stanno arrivando.»

«Va bene.»

La commissaria rimase sulla soglia tenendo lo sguardo basso per evitare di intercettare nuovamente la corda penzoloni. Fu allora che si accorse di un piccolissimo oggetto che brillava al sole, sulle assi di legno del pavimento all'interno del capanno. Si avvicinò per capire cosa fosse, tirò fuori la pinzetta e un sacchetto sterile, esaminò l'oggetto, lo campionò e lo fece sparire nella tasca dei jeans. Se tanto le dava tanto, l'indagine avrebbe riservato ancora molte sorprese.

Casa Rossa era il nome con il quale Suni Digioia aveva ribattezzato un'enorme fabbrica di mobili in disuso, ottenuta in concessione per venticinque anni dalla regione e ristrutturata grazie a finanziamenti di bandi locali ed europei. Situata a nord-est della città e circondata da molti ettari di terreno, confinava con Terrarossa, anche se per raggiungerla era necessario spostarsi con un mezzo. Era per quello che all'ingresso della tenuta erano sistemate grandi rastrelliere per biciclette, un paio di colonnine elettriche per ricaricare i monopattini e alcune minicar con il marchio dell'azienda stampato sulla fiancata.

Lolita si girò verso il collega con un mezzo sorriso. «Preferisci la bici o il monopattino? Oppure tocca tornare al parcheggio e prendere la macchina.»

«La bici? Con quaranta gradi? Meglio il monopattino. Te la senti di guidarne uno?»

«Che domande. Che ci vuole?»

«Sai com'è, certe volte.»

«No, com'è?» insisté Lolita, che poco tollerava certi atteggiamenti da superuomo dell'ispettore.

«È che voi femmine siete imbranate. Credete di saper fare tutto e magari vi fate male.»

«Fai meno il filosofo e muoviti. Con due morti violente in pochi giorni non possiamo permetterci di scherzare e tantomeno di perdere tempo.»

In lontananza, tra le macchie accecanti di gialli, di rossi e di verdi dei campi coltivati a grano, uva e pomodoro, si distinsero i colori dei murales che ricoprivano l'ex fabbrica. In uno di questi, tre figure avanzavano tenendosi per mano in una rivisitazione del *Quarto stato*, il celebre quadro di Giuseppe Pellizza da Volpedo. Un uomo, una donna, un ragazzo e la folla a seguire. Un cielo azzurrissimo e costellato di colombe. L'arcobaleno della pace e dei diritti civili.

«Chi sono?» chiese l'ispettore Forte, incuriosito dall'emozione di Lolita al cospetto del murales.

La commissaria lo guardò con gli occhi lucidi mentre cercava in borsa un kleenex per asciugarsi le lacrime. «Guarda meglio, almeno uno dovresti riconoscerlo.»

«Mè, Lolì, ché mica siamo a scuola. Chi sono?»

«La storia è importante. Soprattutto quella che racconta la tua terra e le battaglie del popolo per leggi giuste.»

«Quindi?»

«Quindi l'uomo è Giuseppe Di Vittorio, il bracciante originario di Cerignola che fu antifascista, sindacalista, deputato del partito socialista e si batté per tutta la vita a favore dei diritti dei lavoratori.»

«Be', certo, Di Vittorio. Non lo avevo riconosciuto. E gli altri due?»

«La donna è Paola Clemente, una bracciante agricola vittima del caporalato e di un sistema economico che miete decine di vittime ogni anno in nome del profitto. Partiva da casa alle due di notte e tornava alle tre del pomeriggio. Otto ore di lavoro sotto il sole cocente per ventisette euro di paga. Le si è schiantato il cuore nei campi per la troppa fatica. Aveva tre bambini.»

«Gesùcristo, che peccato. E l'altro?»

«L'altro era un ragazzo, solo un ragazzo. Si chiamava Hyso Telharaj, aveva ventidue anni ed era albanese. Lavorava duro e non si capacitava di dover versare gran parte del suo guadagno ai caporali. Si rifiutò di farlo, ma il suo esempio rischiava di far crollare un sistema consolidato da sempre. Fu ucciso a colpi di fucile.»

«Poveraccio.»

«Sì. Con il tempo è diventato uno degli eroi di Libera e la sua storia è stata raccontata in molte forme perché non deve essere dimenticata. C'è persino un vino che porta il suo nome.»

«Bello.»

«Bello, sì. Vedi, Antonio, ogni indagine è come un puzzle che si compone tessera dopo tessera. La personalità della vittima fornisce elementi essenziali e questa Suni doveva essere una persona eccezionale, una che si batteva contro lo sfruttamento dei nuovi schiavi arrivati dall'Africa e dall'Europa dell'Est. Che lottava a favore dei diritti e della dignità dei lavoratori. Una così non la uccide il raptus di un amante geloso. Una così la toglie di mezzo la mafia.»

«La mafia, Lolì! Madonnasanta, voi femmine siete sempre esagerate.»

«Noi femmine, sì. Cammina, diamo un'occhiata agli alloggi.»

All'ingresso di Casa Rossa, l'odore di bucato e disinfettante si mescolava a quello di spezie e verdure che arrivava dalle cucine.

Un donnone vestito di giallo oro, con una massa di capelli nascosta da un turbante di seta viola, andò incontro ai due poliziotti con un mestolo di legno in mano e li salutò nella sua lingua.

«*Teranga*. Io Aisha.»

«Ciao, Aisha. Io sono Lolita e lui è Antonio.» La commissaria tirò fuori il tesserino e lo mostrò con discrezione.

La donna non si scompose. «Voi mangiare thieboudienne?»

L'ispettore guardò Lolita tutto speranzoso. Quel nome esotico prometteva bene e lui aveva tanto di quell'appetito che si sarebbe mangiato un bue.

«Grazie, Aisha, volentieri» rispose la commissaria, ammiccando sarcastica al collega. «Così la smetti di lamentarti.»

«Uh Lolì, sei fastidiosa, sei. Personalmente ragiono meglio con la pancia piena.»

«Prego, voi seguire me» li interruppe la donna scostando una tenda batik e introducendoli nel corpo centrale della fabbrica.

Lolita si fermò dopo pochi passi. Il luogo, seppur spartano, aveva un che di magico. Da un enorme lucernario piovevano raggi di sole che illuminavano alte pareti dipinte di indaco, sulle quali si apriva un centinaio di porte rosse, distribuite su due piani.

«Aisha, cosa c'è dietro quelle porte?»

«Alloggi per braccianti. Tu vuoi vedere adesso o prima mangiare thieboudienne?»

«Prima mangiare» rispose Forte, impaziente. «Ché non si deve raffreddare, vero, Aisha?»

La donna lo ripagò con un sorriso complice. «Vero, sì. Thieboudienne mangiare calda.»

«Nossignore» si intromise Lolita. «Prima gli alloggi e dopo il resto.»

Aisha fece cenno di seguirla per le scale e li precedette lungo il ballatoio, aprendo un paio di porte. «Prego, voi vedere.

Piano uno alloggi per donne, piano due uomini. Alloggi uguali sempre.»

I due poliziotti si affacciarono con curiosità, impressionati dall'aspetto delle camere. L'arredamento era semplice ma accogliente. Legno chiaro, tessuti coloratissimi, tappeti annodati sul pavimento. Letti a castello, comodini, un paio di sedie e una scrivania con alcune mensole piene di libri, fotografie e altri oggetti personali.

«Carino» concesse Lolita, approvando l'insieme.

Forte si rivolse ad Aisha con l'occhio languido e una fame da lupo. «Oh, finalmente. Adesso possiamo passare alla thieboudienne.»

«No, aspè, voglio sapere prima cosa c'è dentro» s'informò Lolita, scettica. Ché a lei la cucina fusion non l'aveva mai convinta del tutto: il ricordo delle melanzane destrutturate di Giovannimio e la crisi che ne era conseguita erano un trauma che non aveva mai superato.

«Ma vuoi mettere una bella teglia di parmigiana o una tiella di riso patate e cozze?» sussurrò al collega, mentre la donna li faceva accomodare a un lunghissimo tavolo in legno dove sedevano una ventina di commensali vestiti di bianco. Portò poi due grandi vassoi colmi di riso rosso, pesce e verdure, affinché tutti si servissero dallo stesso piatto come voleva la tradizione. Intanto si dilungava nella descrizione della pietanza.

«C'è riso, pesce, manioca, melanzana, carota, cipolla, peperone, spezie di Senegal. Tu prova, poi vedi.»

«Mi hai convinta» sorrise Lolita accorgendosi che tutti mangiavano con gusto, Forte compreso. «Anzi, poi devi darmi la ricetta.»

La donna sorrise sorniona. «Certo. Ingrediente principale per thieboudienne è tempo. Tu hai tempo?» domandò con piglio ironico, squadrandola dalla testa ai piedi e soffermandosi sulle Louboutin maculate e sulle unghie laccate di rosso.

«Lo troverò» replicò Lolita leggermente indispettita. Cosa credeva questa?, pensò prima di servirsi una porzione abbondante. Che ne sapeva lei di panzerotti, focacce e di certe preparazioni pugliesi che richiedevano intere giornate tra lievitazioni e altri passaggi?

Per un tempo che sembrò lunghissimo, nell'immenso camerone nessuno fiatò. I due poliziotti erano un elemento estraneo nella realtà della casa. Inoltre, le vicende tragiche che avevano colpito Suni e Kenan e l'incertezza sul futuro di Terrarossa non invogliavano certo alla leggerezza. Ma il cibo è un collante formidabile e davanti a un piatto gustato insieme i meccanismi di difesa vengono meno. Prima che servissero il karkadè di fine pasto, la commissaria era riuscita a ottenere dai commensali molte informazioni utili all'indagine.

Suni Digioia si era guadagnata anche il soprannome di Senegalese, per il modo di vestire colorato e per i tanti braccianti originari del Senegal che aveva salvato dalla baraccopoli di Borgo Mezzanone, ospitandoli a Terrarossa. In quella piccola comunità era venerata come una santa già da prima che la sua vita terminasse in maniera tragica. Figlia unica, dopo la morte del padre aveva ereditato l'azienda di famiglia e aveva deciso di verificare ogni dettaglio, ispezionando personalmente le proprietà a Capitanata e visitando il ghetto di Cerignola e quello di Borgo Mezzanone, nei quali venivano alloggiati i suoi braccianti. E lì si era resa conto delle condizioni disumane delle sistemazioni e di quanto lo sfruttamento fosse pericolosamente vicino allo schiavismo. Orari e condizioni massacranti, pochi euro di paga, baracche di lamiera incandescenti in estate e gelide in inverno, assenza totale di servizi igienici e pagliericci infestati da zecche e topi al posto dei materassi.

Ma aveva ignorato ben altro fino ad allora, e cioè che essere imprenditori nella provincia di Foggia presentava problematiche inimmaginabili. Capannoni mandati a fuoco, terreni avvelenati, tendoni completamente divelti: bastava scorrere le cronache locali per rendersi conto che le agromafie avevano stritolato in una morsa feroce un comparto importantissimo per l'economia nazionale, e che lo stato non riusciva a proteggere gli imprenditori onesti, anzi, ne usciva perdente.

Era stato Felicetto, uno dei ragionieri di Terrarossa, a spiegarle che non c'era da stupirsi: il malcostume andava avanti da molti anni e le tangenti da versare al racket erano annotate sui registri contabili al pari delle tasse da pagare allo stato.

«Si fidi, Suni» le aveva confidato, «è molto più semplice pagare che non ribellarsi. Del resto, anche la buonanima di suo padre all'inizio non ne voleva sapere, ma aveva finito poi per accettare il versamento mensile dei "contributi". Non erano poca cosa, corrispondevano a una buona parte del raccolto, ma hanno sempre garantito una certa tranquillità e toglievano anche parecchi fastidi, come reclutare la manodopera o sistemarla nelle baraccopoli.»

A Suni non ci era voluto molto per capire che i soldi del pizzo versati agli «esattori» della società foggiana venivano detratti automaticamente dai salari dei braccianti, pagati in nero e sfruttati fino allo sfinimento. Era stata la molla perché si votasse alla causa.

«Suni aveva intuito che le leggi da sole non bastano. Ci vogliono uomini giusti che le applichino» intervenne una donna polacca dagli occhi tristi e dal volto scavato. Nei campi dei pomodori aveva perso suo fratello Ivan. Il corpo non era mai stato restituito alla famiglia, sepolto chissà dove.

L'ispettore Forte annuì. Da qualche anno le leggi in materia esistevano eccome. L'aumento a dismisura dei lavoratori irregolari nel comparto agricolo, le troppe morti e le denunce raccolte dalle forze dell'ordine nel 2016 avevano finalmente spinto il governo a varare la legge 199 per contrastare il caporalato. Almeno nelle intenzioni. Sulla carta il reato veniva riscritto e ridefinito, e si fornivano tutti gli strumenti per intervenire, dalle sanzioni alla detenzione per i trasgressori, dal controllo giudiziario dell'impresa alla protezione dei migranti che trovavano il coraggio di denunciare. Si poteva agire anche in assenza della figura del caporale, per punire quel datore di lavoro che approfittava dello stato di bisogno dei braccianti per sfruttarli indegnamente.

«La legge 199 ha funzionato?» chiese la commissaria ai presenti, ma conosceva già la risposta. Esisteva un sistema perverso all'interno del mondo agricolo, che tollerava l'asservimento e la brutalità contro altri esseri umani per il proprio tornaconto.

«Purtroppo no. Sono passati più di quattro anni da quando è entrata in vigore e si è dimostrata debole e inconsistente, soprattutto nella parte preventiva. Nonostante la legge e imprenditori perbene come Suni, tanti di noi hanno continuato a essere sfruttati e a morire. Qualche mese fa, il governo ha istituito un tavolo di lavoro permanente che dovrebbe mettere a punto una nuova strategia. Partecipano il ministero del Lavoro, quello dell'Agricoltura e quello per il Sud. Finalmente hanno capito che non si deve solo reprimere e punire, bensì prevenire, e aiutare a reinserire le vittime nel mondo del lavoro. Ma è ancora una strada lunghissima e faticosa. Suni per molti di noi rappresentava un porto sicuro, una guida. Con la sua morte si è spenta una luce e adesso abbiamo paura di perdere tutto.»

A parlare era stato Abdoulaye, il più anziano degli ospiti di Casa Rossa. Era intervenuto più volte e Lolita lo aveva ascoltato con molta attenzione. Abdoulaye era in Italia da oltre quindici anni, aveva studiato diritto ed economia e fatto sempre parte del sindacato, oltre a occuparsi di agricoltura sociale e sostenibile. Aveva conosciuto Suni qualche anno prima alla Casa Sankara di San Severo, dove era stato ospitato dopo lo sgombero del ghetto di Rignano. La giovane imprenditrice barese era rimasta colpita da quella nuova realtà per i braccianti stranieri realizzata dalla regione. C'erano quattrocento posti letto, un servizio mensa e moduli abitativi climatizzati che garantivano finalmente condizioni umane. E il progetto si inseriva in una filiera etica che voleva offrire nuove opportunità e restituire dignità a donne e uomini vittime di violenza e sfruttamento.

«Vede, dottoressa Lobosco» proseguì l'uomo, «la fotografia del bracciante è cambiata nel giro di un ventennio. Se ai tempi di Di Vittorio e fino alla fine del Novecento il nemico da combattere era stato il latifondismo, nel nuovo millennio il demone è la grande distribuzione. La grande distribuzione e le sue politiche economiche che impongono prezzi insostenibili per gli imprenditori agricoli. Con le paghe da fame, il lavoro nero e l'assenza totale di sicurezza e di tutela previdenziale, il bracciante italiano ha preferito cambiare lavoro cedendo il posto a schiere di immigrati senza fissa dimora, disposti a lavorare quasi gratis pur di garantirsi un giaciglio per la notte e un tozzo di pane. Non si rendono conto che finiranno per innescare un circuito perverso: più dipendono dal caporale per qualsiasi necessità, dal trasporto ai documenti, e più saranno sfruttati. Per Suni scoprire il lato oscuro del mondo agricolo e realizzare che se avesse continuato a far finta di niente si sarebbe resa complice era stato devastante. Per qualche settimana aveva pensato di lasciar perdere l'azienda e di venderla, poi era venuta a conoscenza di alcune storie terribili, di migranti picchiati fino alla morte, di ragazze stuprate e costrette a prostituirsi, ed era rimasta. Aveva deciso di cambiare le cose dall'interno. Era partita dall'esperienza di Casa Sankara per fondare una dimora simile a Terrarossa. Aveva venduto alcune proprietà immobiliari e investito il ricavato nel progetto. Aveva chiesto sostegno alle istituzioni e finanziamenti pubblici per realizzare laboratori e un centro di baratto di manufatti artigianali nell'azienda agricola, per favorire lo scambio con l'esterno e quindi l'integrazione. Voleva combattere la deriva razzista che aveva colpito l'Italia. Era stato un periodo difficile, carico di rifiuti e di porte sbattute in faccia, ma lei, più cocciuta di un mulo, in capo a un paio d'anni aveva fatto passi da gigante e messo in regola decine e decine di migranti, sottraendoli ai terribili ghetti foggiani, dove erano costretti a vivere come bestie.

«Ma la vera svolta di Terrarossa era arrivata con la certificazione etica No Cap. La conosce, commissario?» Lolita fece cenno di no: le piaceva ascoltare la visione che aveva animato Suni attraverso le parole di Abdoulaye. «È stata un'idea di Yvan Sagnet, un ex bracciante camerunense diventato ingegnere e scrittore: se nell'azienda non ci sono lavoratori irregolari o sfruttati, si attacca un bollino sui prodotti, così il consumatore sa che provengono da una filiera etica. Suni aveva avviato la produzione di una passata di pomodoro biologica che aveva messo in commercio con un nuovo marchio, Nonna Stella. Era dedicato alla sua vecchia tata, in ricordo dei pomeriggi d'infanzia trascorsi a preparare la salsa in sua compagnia. La passata di Nonna Stella era diventata un prodotto richiestissimo in Italia e all'estero, e con il bollino No Cap era un esempio per molti giovani imprenditori che cercavano di riconvertire le aziende vecchio stampo dei padri in una green economy con una forte impronta etica.»

La commissaria annuì in silenzio. Aveva ascoltato tutto con grande attenzione e di una cosa era ormai certissima: una così non si toglieva la vita né per amore né per i debiti. Una così se ne fotteva di se stessa e delle problematiche sentimentali, perché il centro del suo mondo era rappresentato dagli altri. Una così non la uccideva uno come Kenan Ba, la uccideva il sistema per proteggere i suoi equilibri criminali.

Lolita controllò l'ora e si alzò per congedarsi. «Grazie a tutti, siete stati di grande aiuto. Abdoulaye, lei è stato fondamentale per aiutarmi a comprendere il sistema agricolo pugliese. Ci sono cose che abbiamo sotto gli occhi ma che preferiamo ignorare. Oggi ho imparato tanto. Questo è il mio biglietto da visita: la prego, non esiti a contattarmi per ogni necessità, o se le viene in mente qualsiasi episodio rilevante riguardo a Suni Digioia.»

Abdoulaye posò il palmo aperto sul cuore. «Certo, Mama, la chiamo.»

Il cellulare squillò mentre costeggiava il lungomare diretta a casa. Era Marietta. «Ciao, Lolì, come stai?»

«Al solito, travolta dal caldo e dal lavoro. Con le pressioni del questore e questo caso che mi toglie il sonno. E tu?»

«Io lo stesso, ma con l'aggiunta di due figli adolescenti, ti lascio immaginare. Dove sei?»

«All'altezza del Margherita. Vado a casa, mi cambio le scarpe e faccio una corsetta. Ho bisogno di scaricare la tensione.»

«Immagino. Riusciamo prima a vederci una mezz'ora per un aperitivo? Non ho nessuna voglia di ritirarmi.»

«Perché no, ti aspetto ai tavolini in piazza del Ferrarese.»

«Dammi dieci minuti e ti raggiungo, ma devi farmi una promessa.»

«Dimmi.»

«Non parliamo di lavoro.»

«Ma figurati, Mariè, solo chiacchiere. Ti aspetto.»

Da qualche anno a piazza del Ferrarese sembrava sempre festa. I locali affollati, le bancarelle, i venditori di palloncini e i tanti turisti intenti a scattare foto facevano pensare a quelle sagre patronali di paese, piene di santi e madonne, così frequenti nelle estati del Sud Italia.

Lolita si accomodò a uno dei tavolini liberi davanti alle absidi della Vallisa, la chiesetta sconsacrata che ricordava il legame antico di Bari con Amalfi, e ordinò uno Spritz e una bottiglia di minerale con due bicchieri.

Marietta arrivò poco dopo, elegantissima in un tailleur bianco ottico, e le stampò due baci sulle guance.

«Hai già ordinato, brava. Ho una sete...»

«Aspè, ché chiamo il cameriere e faccio portare...»

«No no, faccio io.» Cercò il cameriere con lo sguardo e lo intercettò qualche tavolo più in là. «Scusi, mi porta un altro Spritz e qualche stuzzichino? Ho saltato il pranzo, come al solito.»

«Bello questo tailleur» commentò Lolita.

«Un saldo dalla mia solita boutique.»

«Ti sta benissimo.»

«Grazie. E tu, che è 'sta faccia scura? Com'è andato il viaggio di nozze con Caruso?»

«Ma quale viaggio di nozze, Mariè? Un mezzo disastro, come al solito.»

«Non mi dire. Che avete combinato?»

Lolita rispose al saluto di due poliziotti, lesse un messaggio sul telefono e ordinò un secondo Spritz.

«All'inizio ognuno stava un po' sulle sue, ma le Tremiti sono bellissime ed è bastato arrivare sull'isola per dimenticare le tensioni. Abbiamo noleggiato una barca e cenato in un trabucco.»

«Be', niente male, direi. Ogni volta gli dici peste e corna a 'sto cristiano, ma a me pare solo un gran romanticone.»

L'altra la guardò storcendo il naso. Ormai Caruso non la incantava più, nonostante Marietta continuasse a subirne il fascino.

«Per carità, romantico lo è senza dubbio, i problemi sono altri.»

«Per esempio?»

«Per esempio i lati oscuri della sua vita, le fughe di notte, le omissioni. Dimentichi che ho saputo del nuovo incarico assolutamente per caso.»

«Lolì, io non dimentico niente, ma se tu vuoi un uomo prevedibile non hai che da scegliere, ne trovi quanti ne vuoi. Il problema è che a me, a te e alla metà del genere femminile piacciono i tipi alla Caruso. Dopo le Tremiti cos'altro ha combinato?»

«A pensarci adesso, a mente fredda, niente di irreparabile, però ti giuro che se fossi stata presente mi avresti dato ragione.»

«Cioè? Raccontami.»

«Domenica, intorno a mezzogiorno, da San Domino siamo scesi a Mattinata. Giancarlo aveva prenotato una suite in un posto bellissimo, affacciato sul mare. La locanda nonmiricordocome. La sera siamo andati in questo borgo bellissimo, eravamo in Puglia ma sembrava di stare in Grecia. Abbiamo cenato in una taverna tipica e tra una portata e l'altra ha cominciato a fare domande su domande alla cameriera.»

«Che genere di domande?»

«Informazioni. Cose del tipo: come si vive da queste parti, tra poco prenderò servizio a Manfredonia, mi piacerebbe vivere a Mattinata, sai se si affittano delle case, questo ristorante chiude in inverno e cose simili.»

«E quella cosa rispondeva?»

«Soprattutto *come* rispondeva. Dovevi vederla, tutta svenevole. Dottore di qua, dottore di là. Siamo sempre aperti, c'è una casetta vista mare proprio da queste parti eccetera eccetera.»

«Com'era la cameriera?»

«Giovane. Molto carina, begli occhi. E lo guardava troppo per i miei gusti.»

«E lui?»

«Lui pure guardava.»

«Immagino la scena. E tu?»

«E io, e io... Per il nervoso mi è venuta la tachicardia e pure il mal di stomaco. Ho cominciato a sentire una sensazione in petto, come un peso, una specie di presentimento.»

«Che genere di presentimento?»

«Ma che ne so, tipo che quei due si rivedranno, che cominceranno una relazione, che io resterò di nuovo sola.»

«Lolì, senti...» Marietta posò lo Spritz sul tavolino e si avvicinò all'amica sua.

«Che c'è?»

«Ma questo "presentimento", come dici tu, lo hai avuto prima o dopo aver mangiato?»

«Ma cosa ne so, non mi ricordo! Cosa c'entra poi?»

«C'entra, c'entra. Fai mente locale.»

«Sicuramente dopo.»

«Ne ero certa.»

«Mi spieghi che significa?»

«Senza offesa, Lolì, te lo dico come una sorella, secondo me quelli che avverti non sò presentimenti, è che tieni un poco di ernia iatale e dovresti fare un controllo medico.»

«Senza offesa, Mariè, vai a quel paese!»

«Lo dico per il tuo bene, mica per altro. Ma insomma, con Caruso com'è andata a finire?»

«Al solito. Io da una parte, lui dall'altra. Stamattina mi ha accompagnata in stazione, ciao ciao e non ci siamo più sentiti.»

«Capito.»

«Tanto, prima o poi la storia è destinata a finire. Il 1° settembre andrà a dirigere il commissariato di Manfredonia e io per gli amori a distanza non sono portata. Vedi com'è andata con Montalbano? Fuoco e fiamme in Sicilia e da quando sono tornata a Bari una telefonata ogni tanto.»

«Ma Caruso non è Montalbano, Lolì. E Manfredonia non è Vigata, centotrenta chilometri non sono niente quando c'è l'amore.»

«Appunto, Mariè. Quando c'è l'amore. Cameriere, il conto per favore!»

11 agosto, martedì

Abeba Ba arrivò in questura alle nove precise, chiese della commissaria e, quando le dissero che non era ancora arrivata, si accomodò con le mani in grembo sulla poltroncina del corridoio che l'ispettore Forte le aveva indicato. Era vestita di blu indaco e portava al collo il medaglione che era appartenuto a suo fratello Kenan.

Uscendo dall'ascensore, con la speranza di non essere notata, la commissaria Lobosco si fermò a osservarla qualche minuto. Sembrava ancora più piccola dei suoi venticinque anni, smarrita nel dolore per la tragedia che l'aveva colpita. Le si avvicinò con un'espressione dolce in viso e la condusse nel suo ufficio tenendole un braccio sulle spalle.

«Ciao, Abeba, hai già fatto colazione?»

La ragazza rispose con un filo di voce. «Grazie, ho bevuto del tè. Non ho molta fame in questi giorni. Il dolore si sta mangiando la mia testa e il mio cuore.»

«Ti capisco, sai, ho solo bisogno di farti qualche domanda, poi ti riaccompagno a Terrarossa.»

«Grazie, sei buona come Suni.»

«Suni, già. Prego, Abeba, siediti, parliamo di lei. Di lei e di Kenan. Voglio essere franca con te e dirti le cose come stanno. Quella che stiamo conducendo è un'indagine sotto la luce dei riflettori, per una serie di ragioni che ci tengo a spiegarti. Innanzitutto, la vittima è una persona che rappresenta un simbolo per la generazione green e per i giovani agricoltori; in seconda battuta, in qualche modo sono coinvolte persone importanti e noi investigatori avvertiamo la pressione dell'opinione pubblica. Inoltre, e questo riguarda Kenan, nell'attuale contesto storico e politico la soluzione più facile sembra essere addossare la colpa al migrante di turno.»

Abeba sollevò la testa di scatto, gli occhi color miele scuro lampeggiarono di rabbia e lacrime trattenute.

«Ti dico io come stanno le cose. Mio fratello non ha ucciso Suni. Lui amava Suni e lei amava lui.»

La commissaria si lasciò andare sulla poltrona, commossa dall'ingenuità della ragazza. Magari fosse bastato così poco a far luce sul delitto.

«Abeba mia, vorrei fosse così semplice. Personalmente sono disposta a crederti sulla parola, ma agli inquirenti servono prove certe di quello che affermi e indizi concreti che conducano al vero assassino e scagionino Kenan. Ti confesso che, a prescindere dal mio pensiero, la linea che si intende percorrere è quella più comoda per tutti, e cioè che tuo fratello abbia ucciso Suni per gelosia o perché lei voleva interrompere la relazione. O più banalmente nel tentativo di estorcerle dei soldi, e che poi si sia buttato in preda ai rimorsi o perché si è sentito braccato. Questa è la linea, tanto vale che tu lo sappia, quindi è necessario che tu mi dica ogni cosa che sai o che hai visto.»

Abeba posò un ritaglio di giornale sulla scrivania, era stropicciato e piegato in quattro. Lo dispiegò lentamente e lo spinse verso la commissaria. «Comprendi l'inglese, vero?»

«Poco» confessò Lolita con una punta di rammarico: la limitata padronanza delle lingue era la sua bestia nera. Al contrario, Abeba e suo fratello avevano dimostrato di parlare un italiano praticamente perfetto. «Di che si tratta?»

«È l'articolo 4 della Dichiarazione universale dei diritti umani. Lo conosci?»

«Certo. Nessun individuo potrà...»

La voce di Abeba si sovrappose a quella della commissaria:

«... nessun individuo potrà essere tenuto in stato di schiavitù o di servitù; la schiavitù e la tratta degli schiavi saranno proibite sotto qualsiasi forma.» Completò la lettura con la voce che tremava di rabbia a ogni parola.

Lolita sorrise. «È uno degli articoli più belli.»

Abeba scosse il capo. «Lo sarebbe se venisse applicato! Invece la schiavitù esiste e voi italiani la tollerate. Tutti sanno e nessuno fa niente. E se qualcuno si ribella e agisce viene fatto sparire dalla scena.»

«Suni?»

«Suni, sì. E anche Kenan.»

«Chi li ha uccisi?»

«Qualcuno.»

«Non scherziamo, Abeba. Qualcuno chi?»

La ragazza non rispose subito, abbassò il capo, ripiegò il foglietto e lo ripose in un borsellino.

«Tra me e mio fratello ci son... c'erano tre anni di differenza. Io venticinque, lui ventidue, eppure è sempre stato protettivo come un fratello maggiore. Io ero la piccola, quella che combinava guai, lui il mio angelo salvatore.»

«Da cosa ti ha salvata?»

«Sono arrivata in Italia prima di lui, in Senegal facevo la parrucchiera ma per le donne nel mio paese la vita è dura, per questo sono scappata. È stato un viaggio lunghissimo e violento. Per arrivare in Italia ho attraversato Marocco. Sono stata violentata e segregata per molti mesi, finché non ho saldato il mio debito. Da lì sono finita in Spagna però il mio sogno era l'Italia. L'Italia che immaginavo, non quella che ho conosciuto sulla mia pelle.»

La voce di Abeba era dura come acciaio, si addolciva solo quando raccontava di Kenan, suo fratello. L'adorato.

«Dove sei finita, in Italia?»

«A Foggia, nel ghetto di Borgo Mezzanone. Sono sbarcata sulla costa di Brindisi e gli scafisti mi hanno venduta a un caporale. Di giorno mi mandava a raccogliere pomodori per dieci o dodici ore a tre euro, e di notte mi faceva fare la puttana a disposizione dei poveracci come me. La schiava di altri schiavi. Sono rimasta incinta tre volte, e tre volte ho dovuto abortire a forza di calci in pancia e botte. Non ho mai visto un centesimo, il caporale segnava su un registro entrate e uscite, ma quello che guadagnavo spezzandomi la schiena nei campi e nei letti degli altri non bastava mai a pagare un piatto di minestra, l'acqua per lavarsi, il furgone che ci trasportava, il giaciglio nella baracca. Avevo sempre debito con il caporale. L'avevo capito che non avrei mai riavuto la libertà. Eppure tutti conoscevano le condizioni del ghetto e di chi ci viveva: i cittadini, le istituzioni, gli imprenditori che si affidavano ai caporali, i poliziotti come te. Sapevano che la gente che era lì dentro sgobbava e moriva.» Le puntò il dito contro, Abeba non faceva sconti a nessuno. «Anche tu, commissaria, anche tu.»

Lolita Lobosco annuì. «Purtroppo hai ragione, sono colpevole anch'io. Per aver sottovalutato, per non aver approfondito.»

«Dopo qualche anno che vivi così, il cuore si spacca per il dolore e per la vergogna. Per il troppo lavoro, per il caldo o per il freddo. Ne ho visti tanti morire come mosche e poi finire buttati in una fossa senza nome e senza croce. Le famiglie non venivano neanche avvertite. Ho visto cadaveri bruciati insieme alle baracche per far sparire i corpi con le ossa spezzate dai caporali. Sopravvivevo come una bestia, convinta di morire anch'io così, nel giro di un paio d'anni. Eppure continuavo a spedire alla mia famiglia cartoline con spiagge e tramonti, e a scrivere che stavo bene, che ero felice. A volte per guadagnare solo una moneta da cinquanta centesimi mi offrivo agli uomini di nascosto dal caporale, mettevo i soldi da parte e li mandavo a casa. Nessuno di noi poveri disgraziati dice come stanno davvero le cose, l'umiliazione sarebbe insopportabile. E sarebbe terribile distruggere i sogni di tutti quelli che arriveranno dopo di noi.»

La commissaria pensò che era ingiusto, che invece sarebbe stato meglio avvertirli, fermarli, salvarli, ma non intervenne. Aveva perduto le parole quando Abeba le aveva sbattuto in faccia una realtà che la società fingeva di ignorare. Le faceva male sapere di essere corresponsabile di quello che accadeva a esseri umani a pochi chilometri dalle case confortevoli, dagli alberghi di lusso, dagli sfavillanti negozi del centro. Era anche colpa sua, sì.

«Come hai fatto a salvarti? È stata Suni a tirarti fuori dal ghetto?» chiese.

«Non subito. Prima è arrivato mio fratello. È venuto in Italia a cercarmi e dopo qualche mese è riuscito a sapere dove mi trovavo. Ma l'inferno è durato ancora tanto e ci hanno chiuso dentro anche Kenan, il mio fratellino d'oro e d'argento. Il mio Kenan che non c'è più.»

Abeba appoggiò il capo alla scrivania e pianse. Tra i singhiozzi, raccontò di come, nel tentativo di liberarla, anche suo fratello fosse finito nelle maglie del ghetto e di un caporalato criminale che riduceva molti braccianti, extracomunitari o immigrati dall'Est Europa, in totale schiavitù. Quando suo fratello aveva tentato la fuga, era stato picchiato selvaggiamente con una spranga di ferro e ridotto in coma. Lei lo aveva curato e vegliato giorno e notte, terrorizzata che morisse. Erano rimasti a Borgo Mezzanone ancora due anni, due anni terribili, praticamente prigionieri del caporale, subendo violenze di ogni genere.

Lolita ascoltava con gli occhi lucidi e lo stomaco contratto dal rimorso. Come aveva potuto ignorare situazioni simili nella sua stessa regione? Come avevano potuto farlo i politici, i sindaci, i magistrati, i suoi stessi colleghi poliziotti?

«Non avete provato a scappare ancora, a denunciare?»

Abeba scostò la veste scoprendo le gambe fino alle cosce: due vistose cicatrici salivano dai piedi fino all'inguine.

«Certo che abbiamo provato, molte volte. Queste cicatrici sono il prezzo visibile che ho pagato. Le altre ferite non si vedono ma sono anche peggio. Per mio fratello parla il suo corpo sul tavolo dell'obitorio.»

La commissaria si prese la testa tra le mani.

«E dopo? Come vi siete salvati?»

«È arrivata Suni. E ci ha portati via tutti e due.»

«Racconta.»

«Qualche mese fa, era pomeriggio tardi, è entrata nel ghetto una ragazza bianca, bella come una madonna. Era insieme a due assistenti sociali. Nelle settimane precedenti c'erano stati due incidenti terribili. Erano morti sedici braccianti africani di ritorno dai campi, diretti al ghetto di Rignano dove dormivano. Erano stipati in vecchi furgoni che si sono schiantati contro altri mezzi. Non avevano avuto scampo.»

«Ricordo molto bene quell'episodio. Una tragedia immensa.»

«Sì. Li conoscevo tutti, purtroppo. Era saltato fuori che lavoravano per Terrarossa, anche se lei non lo sapeva. Stava ancora cercando di capire come funzionava il "sistema" che suo padre le aveva lasciato in eredità. Si era resa conto che l'uomo che aveva amato e idealizzato per tutta la vita era in realtà un vile come tanti altri. Uno che aveva barattato la sicurezza e la dignità dei suoi dipendenti per il proprio tornaconto, affidando la gestione delle sue proprietà a persone senza scrupoli. O forse dovrei dire criminali.»

Lolita si chiese quanto doveva aver sofferto Suni dopo quella presa di coscienza delle responsabilità paterne. E chissà se era peggio perdere un padre tragicamente quando si era piccoli, o essere costretti a fare i conti con la sua figura e con gli scheletri nell'armadio da adulti.

«Suni aveva chiesto al caporale che prendeva i braccianti per conto di Terrarossa a Cerignola di visitare gli alloggi dove vivevano. Lui aveva detto di no e lei si era rivolta ai servizi sociali, che l'avevano portata al ghetto. Aveva visto come vivevamo: le baracche di lamiera, i topi, l'immondizia, niente bagni, niente acqua corrente o elettricità. Ha visto tanti, troppi corpi con piaghe e ferite. Ha pianto, Suni, ha urlato, ha denunciato, ha giurato che chi lavorava per lei non sarebbe più stato maltrattato. È venuta nella nostra baracca. Io e Kenan eravamo legati con una catena a una bombola del gas. Avevamo tentato ancora la fuga e ci stavano punendo. Avevamo addosso i segni delle botte, sangue, croste e piaghe. Se avessimo provato ad andarcene, saremmo saltati in aria. Suni ha baciato le ferite di mio fratello come si fa con le piaghe di un santo, poi le ha disinfettate e bendate. Ha medicato le mie e ci ha portati via tutti. È stato come un sogno, troppo bello per essere vero. Piano piano siamo rinati. Il caporale ha giurato di ammazzarla, di ammazzarci tutti, ma lei se n'è fottuta e ha cominciato una nuova battaglia contro lo sfruttamento agricolo e contro il caporalato. Si è incatenata ai cancelli della regione per essere ascoltata, ha bussato alle porte delle aziende agricole pugliesi, ha creato un consorzio di imprenditori virtuosi che pagano il giusto e trattano bene i braccianti. Qualcuno ha cercato di fermarla. Prima con le minacce, poi con gli attentati. Due volte è stato dato fuoco ai capannoni. Ma lei non si è persa d'animo, era una missione, la sua. Tutti abbiamo creduto che ce l'avrebbe fatta. Invece non è servito a niente. L'hanno uccisa per fermarla. E hanno ucciso anche Kenan.»

Abeba si fermò a riprendere fiato. Si asciugò una lacrima che le cadeva sulla guancia. «Voglio morire anch'io.»

«Ti prego, non dire così. I responsabili pagheranno, te lo prometto. Li prenderemo, fidati di me.»

La giovane donna abbassò il capo. «Nessuno potrà riportarli in vita. A che serve vivere ancora se Suni e Kenan non ci sono più?»

Lolita sospirò. Era difficile rispondere a certe domande quando l'irreversibilità della morte aveva calato il suo asso.

«Te lo dico io a cosa serve: a cercare i responsabili, a fargli pagare il male che hanno commesso perché non accada più.»

«Vorrei avere le tue certezze. A chi importa di quelli come me e mio fratello adesso che Suni non c'è più? Che fine faranno quelli di Casa Rossa?»

«Devi aiutarmi, Abeba, e io aiuterò voi. Cerca di ricordare nomi e cognomi dei tuoi aguzzini e ti prometto che li prenderemo.»

«I nomi non li conosco, ma ricordo il soprannome di quello che mi picchiava, e la sua faccia. Lo riconoscerei dappertutto.»

La commissaria tentennò. Sperava in qualche dettaglio in più.

«È un po' poco ma ce lo faremo bastare. Qual era questo soprannome, Abeba?»

«Maradona, al ghetto lo chiamavano tutti così. Come il calciatore.»

Lolita cercò di non far trapelare nessuna reazione, ma dentro sentì l'adrenalina entrare in circolo. Dopo giorni di stallo, grazie alla testimonianza di Abeba, finalmente le indagini sulla morte di Suni Digioia e di Kenan Ba avrebbero imboccato la giusta direzione.

All'ora di pranzo di quel martedì di agosto i locali della Muraglia e del centro storico erano pieni di turisti, per la maggior parte stranieri. I veri baresi si godevano le ville a Rosa Marina e a Riva dei Tessali o erano a mollo nelle acque limpide del Salento. Lolita, accompagnata da Forte, imboccò via Re Manfredi e fece un cenno da carbonari al titolare della gyrosteria greca, sulla soglia in attesa dei clienti. Lui ricambiò strizzando l'occhio. Era il segnale convenuto da anni, significava che due posti al fresco nella saletta interna erano assicurati.

«Allora, Lolì, che è tutta questa agitazione?» chiese Antonio versandole del vino dopo aver ordinato due insalate greche e una moussaka. «Erano anni che non ti vedevo così euforica. Cos'è, ieri sera hai fatto pace con Caruso?»

«Deficiente» replicò lei senza scomporsi, alzando il calice nella sua direzione. «Direi che ci siamo.»

«Per cosa?»

«Antò, per cosa secondo te? Tempo una settimana e chiudiamo l'indagine.»

«Abeba?»

«Sì.»

«Adaver'? Mè, spara. E speriamo che sia la volta buona.»

«Tieniti forte: Ciro Correale e i fratelli Ba si conoscevano.»

L'ispettore svuotò il calice di bianco tutto d'un fiato. «E cioè, sarebbe questa la novità in grado di dare una svolta all'indagine? Secondo me, il troppo caldo ti toglie la ragione. Mi pare un po' poco, mi pare. È normale che lavorando nella stessa azienda poco o tanto ci si conosca tutti.»

«È qui che ti sbagli. La ragazza ha conosciuto Correale molto prima di arrivare a Terrarossa, quando lavorava nei terreni cerignolani dell'azienda e abitava nel ghetto di Borgo Mezzanone, dove il suo caporale la teneva quasi prigioniera, sfruttandola di giorno e facendola prostituire di notte.»

«Hai capito Maradona. E Kenan?»

«Anche lui ha vissuto al ghetto, ma solo per un paio d'anni. Era arrivato in Italia per cercare sua sorella e nel tentativo di salvare Abeba è finito nello stesso meccanismo di sfruttamento perverso. Le vecchie fratture e le cicatrici sul suo corpo rilevate durante l'autopsia risalgono al periodo di permanenza a Borgo Mezzanone.»

«Come hanno fatto a liberarsi? Sono scappati?»

«Non esattamente. Li ha tirati fuori la Digioia dopo un'ispezione ai terreni cerignolani e alle abitazioni dei braccianti nel portfolio di Terrarossa.»

Forte ripulì il piatto dell'insalata con un triangolo di pita, versò il vino che rimaneva in entrambi i bicchieri e chiese il conto. Poi guardò la collega dritto in faccia e abbassò la voce. «È una faccenda grossa. Lo sai, no?»

«Ma guarda, aspettavo che me lo dicessi tu» replicò Lolita scocciata, sollevando gli occhi al soffitto.

«Uhhh, che presuntuosa! Piuttosto, come intendi procedere? Hai parlato con Monteforte?»

«Non ancora.»

«E con il questore?»

«Nemmeno.»

«Con Esposito?»

«Non direttamente, ma ha verbalizzato la conversazione con Abeba.»

«Lui però non conosce Correale, quindi non sa quali saranno le prossime mosse.»

«Infatti.»

«Lolì, lo hai detto a me per primo?» domandò Forte emozionatissimo, la voce che quasi si incrinava.

«Sì, Antò» sorrise la commissaria, «perché sei il migliore.

Però è inutile che t'allarghi. Colleghi siamo e colleghi restiamo. Mo' paga e andiamocene, ché il tempo stringe e i morti chiedono giustizia.»

Il questore l'accolse con un sorriso.

«Prego, dottoressa, accomodati. Mi dicevi al telefono che ci sono sviluppi sull'omicidio Digioia.»

«Infatti.»

«Speriamo che sia la volta buona. Illustrami la questione.»

«Si tratta della testimonianza della sorella di Kenan Ba.»

Savella cambiò espressione all'istante e incrociò le dita di entrambe le mani. Era irritato e non si diede la pena di nasconderlo. «Ah sì?! Novità importantissime, direi. E sentiamo, che dice la ragazza?»

«Per un lungo periodo e fino a pochi mesi fa, lei e suo fratello sono stati tenuti di fatto prigionieri da Ciro Correale detto Maradona, strettissimo collaboratore nonché uomo di fiducia di Umberto D'Angelo, l'imprenditore cerignolano attualmente curatore di Terrarossa. O come lui stesso ci ha detto, praticamente il nuovo proprietario.»

Savella si passò le mani sulla fronte. «Ho capito. Naturalmente, Lobosco, tu sai che bisognerà compiere le debite verifiche riguardo all'attendibilità di una ragazza che di fatto è una ex prostituta.»

La commissaria lo interruppe con il sangue alla testa. «Ma questore, come si permette! Le avevo già accennato al telefono le costrizioni alle quali Abeba...»

«Lobosco, non interrompermi! Parliamoci chiaro: la testimonianza di questa ragazza è una seccatura. A me pareva che con il suicidio del ragazzo il cerchio si stesse per chiudere. E non nascondo che, fatte salve le circostanze tragiche, si sarebbe trattato di una conclusione, come dire, indolore.»

«Non sia cinico, la prego.»

Savella si alzò. «Dottoressa, tu sei giovane e certe cose non le sai.»

«Quali, per esempio?» replicò la commissaria, piccata. Ché

se teneva un difetto era quello di non passare per seconda a nessuno.

«Nei miei vent'anni in più di te ne ho visti di casi e di problemi collaterali. È come se si scoperchiasse una fossa di serpenti velenosi che invadono la città.»

«Non si dia pensiero, questore, per certi serpenti abbiamo l'antidoto.»

«Speriamo. Mi piacerebbe tanto godermi una settimana di ferie in santa pace. Sai, arriva mia figlia da Londra e vorrei stare un po' con lei. Non la vedo dallo scorso Natale.»

La commissaria si addolcì. «Ottimo. Lasci fare a me, lei pensi a godersi la figliola, all'indagine provvedo io.»

Al questore sfuggì una smorfia di preoccupazione. «Come intendi procedere?»

«Innanzitutto con una verifica accurata degli alibi, l'acquisizione dei filmati delle telecamere di sorveglianza nei pressi di Terrarossa e dell'ex caserma dell'aeronautica. Dopo i primi riscontri decideremo il da farsi. Naturalmente la terrò aggiornato su tutto.»

«Va bene, allora ci conto. E mi raccomando, Lolì, niente colpi di testa. Fa troppo caldo per certe cose.»

Il caldo, già.

Lolita aprì la finestra sperando di intercettare il refolo di frescura che saliva dal porto. Solo sua madre e Carmela sembravano non avvertire il disagio delle alte temperature e continuavano a dedicare tempo ed energie alle preparazioni con i pomodori.

La genitrice chiamò intorno a metà pomeriggio con un insolito piglio battagliero.

«Lolì, ammammà, hai risolto questo benedetto caso?»

«Eh, ma', magari! Non ancora, perché?»

«Perché ti scordi di tua madre, di tua sorella e delle tue stesse promesse. Dovevi venire a darci una mano con i boccacci, invece non ti sei fatta né vedere e né sentire. Ma dico io, almeno una telefonata per dire ciuccio e bestia la potevi fare, no?»

«Madò, ma', hai ragione. Purtroppo questa indagine è più complicata del previsto e non riesco a concentrarmi su altre cose. Un po' di pazienza, appena finisco ti prometto che...»

La sorella tolse la cornetta dalle mani della madre e la interruppe di malagrazia.

«Devi smetterla con le tue solite promesse da marinaio, perché io ci ho fatto il callo da quarant'anni, ma tua madre ancora s'illude e non si rassegna. Ed è peccato, che è peccato.»

Lolita contò fino a ventiquattro prima di rispondere. Poi prese fiato. «Sentiamo, di cosa avete bisogno?» domandò dura.

«Di braccia, come al solito. Credi che sia facile mandare avanti il catering e il bed & breakfast senza marito, con due figli e una madre anziana a carico? Questa settimana facciamo la conserva, bisogna lavare i pomodori e i piatti grandi, preparare la passata e stenderla al sole. Ché se non ci diamo da fare il tempo si guasta e la passata non s'asciuga.»

«Ho capito. Per quando sarebbe 'sta cosa?»

«Dopodomani o al massimo venerdì.»

Lolita fece due conti: era ancora martedì, se le cose filavano per il verso giusto entro venerdì sera avrebbe assicurato il responsabile dei due omicidi alla giustizia.

«Senti, Carmè, io fino a venerdì non mi posso impegnare neanche per un minuto. Spostiamo tutto a sabato mattina e vengo a dare una mano. Che dici?»

«Dico che non si può fare, perché i pomodori fino a sabato si guastano.»

«Carmè, prendere o lasciare. Prima non posso. Avvisa il contadino di rimandare la consegna.»

«Eh sì, per te è tutto facile!» si lamentò Carmela. «Bisogna vedere se il contadino è disponibile.»

«Dammi il numero che ci parlo io.»

«Lascia perdere, inutile che ti immischi nei fatti nostri. Chiamo io e sposto la consegna. Ti aspettiamo sabato mattina.»

«Senz'altro.»

«Ah, senti...»

«Che altro?»

«Magari sai che fai? Porta pure quell'amicotuo, quello, come si chiama?»

«Ma chi, Caruso?»

«Sì, lui, lui.»

«Vabbè, glielo dico. Ciao, Carmè, ci vediamo sabato.»

«Ciao, Lolì, statti bene. E per favore non fare bidoni, ché poi mammà si agita e ha uno sbalzo di pressione. Mè!»

«Tranquilla, alle nove sto lì.»

Lolita si abbandonò sulla sedia. Sua sorella Carmela era capace di sfinirla anche con una telefonata. Inoltre, quell'accenno a Caruso le aveva ricordato che non lo sentiva da oltre ventiquattr'ore. Da quando cioè, dopo la notte di burrasca passata a Mattinata, non si erano più visti né sentiti. Prese il telefono, digitò un messaggio e lo cancellò. Ripeté l'operazione utilizzando altre parole e cancellò di nuovo, infine cliccò sull'emoticon con una margherita rosa e inviò il messaggio. Nel legame tempestoso con Caruso, spesso quel fiore rappresentava il calumet della pace.

Giancarlo la richiamò un minuto dopo.

«Ciao, tesoro, ceniamo insieme stasera?»

Lolita sorrise. Amava la semplicità di quell'uomo, la facilità con la quale soprassedeva a certe sue bizze. «Va bene, ti raggiungo a SanVito appena esco dalla questura.»

«Che bello. Prenoto un tavolo vista mare per le ventuno, così se hai voglia abbiamo il tempo per un tuffo. A quell'ora Cala Cavallo è deserta e l'acqua è bellissima.»

«Spero di arrivare per le otto. Ciao, Carù, a dopo.»

«Ciao, Lolita, un bacio.»

Chiuse la chiamata sentendosi più sollevata e telefonò a Marietta.

«Ehi, a te stavo pensando» esordì l'amica.

«Come mai?»

«Ho parlato adesso con Monteforte.»

«Che dice?»

«Mi raccontava degli sviluppi.»

«Sì, l'ho sentito un paio d'ore fa. In effetti qualcosa si sta muovendo. Speriamo di chiudere tutto in settimana.»

«Madò, Lolì, sì. Ho bisogno di un poco di pace, non voglio interferire con l'indagine per i motivi che sai, ma quel poveraccio di Nicola, dalla notte in cui è morta Suni e si è creato l'equivoco con il suo nome, non campa più.»

Lolita restò in silenzio. La pace, la pace. Il questore, Marietta, Nicolamio. Tutti alla ricerca della pace. E tutti ad aspettarsela da lei.

«Lolì?»

«Sì sì, non ti preoccupare. È questione di giorni. Adesso devo andare. Un bacio, Mariè, e di' a Nicola di stare tranquillo.»

«Ciao, Lolì, grazie. Glielo dirò.»

Michele Gentile era un bel quarantenne, fisico asciutto e occhi seri. Faceva il ragioniere a Terrarossa da decenni ed era molto legato alla famiglia Digioia. L'aveva ricevuta con la mano sul cuore nel tinello della foresteria mentre sua moglie preparava la parmigiana.

«Vede, commissaria, da quella notte ho un dolore qui. Un dolore forte per la morte di Suni. Le volevo bene come a una sorella piccola. Era una ragazza speciale e si circondava di gente speciale. Come Kenan, che era arrivato da poco ma gli volevamo già tutti bene.»

«Gli volevate bene. Non fate che ripetere la stessa cosa, eppure qualcuno li ha uccisi. Si sarà fatto un'idea, immagino.»

«L'assassino non è uno di noi, su questo ci metto la mano sul fuoco.»

«Cosa intende con "uno di noi"?»

«Quello che ho detto. Non qualcuno legato al progetto Terrarossa.»

«Cioè? Si spieghi meglio» insisté la commissaria detestando il ruolo che talvolta le imponeva di apparire deficiente.

«Voglio dire qualcuno che qui ci lavora, che ci vive, che deve a Suni un impiego, una dignità, un tetto.»

«Quindi chi sarebbe stato?»

148

«Un esterno, probabilmente. Che però conosceva le abitudini di Suni e sapeva come muoversi.»

«Soprattutto qualcuno con un movente tale da spingerlo a uccidere due volte a distanza di pochi giorni. La morte di Kenan, anche in questo caso mascherata da suicidio, porta la stessa firma. Era al corrente di una relazione tra i due, immagino.»

Gentile tergiversò qualche secondo e guardò sua moglie, che lo incoraggiò con un cenno del capo.

«Sì, lo sapevo. Un po' come tutti, qui in azienda. All'inizio eravamo imbarazzati, per almeno dieci anni l'ingegner Morisco è stato di casa a Terrarossa, inoltre Kenan era un dipendente, ma davanti alla felicità di Suni tutte le nostre perplessità sono svanite.»

«Ritiene che questo sentimento possa aver urtato qualcuno?»

«Intende... tanto da spingerlo a uccidere?»

«Sì.»

«Sta pensando all'ingegner Morisco, vero?»

La Lobosco si alzò dalla poltroncina scomodissima e percorse il tinello della famiglia Gentile in lungo e in largo. Era irritata dalle continue domande del ragioniere in risposta alle sue.

«Ragioniere, cerchiamo di capirci. Fino a che non viene fuori l'assassino siete tutti presunti colpevoli: lei, Morisco, gli altri dipendenti. Perché se il suo alibi è rappresentato da sua moglie che dormiva nello stesso letto, basta un niente a confutarlo.»

«Certo, certo. Ad ogni modo, dal mio punto di vista l'ingegner Morisco non ucciderebbe una mosca, figuriamoci due persone. E poi Suni, dopo tutto quell'amore... No, guardi, non ne sarebbe proprio capace.»

«Conosce qualcuno che sarebbe capace di farlo? Di quelli che la conoscevano, intendo.»

Gentile la fissò in uno strano modo, come se guardasse oltre lei e cercasse un appiglio per non sprofondare. «Mah, non saprei. È una domanda che mi mette in difficoltà. Accusare qualcuno di omicidio è una cosa seria. Se posso permettermi un consiglio, ha mai pensato che il vero bersaglio fosse Kenan? E che hanno ucciso Suni per colpire lui?»

La Lobosco lo squadrò da soprasotto e affilò gli artigli. «Senta, ragioniere, faccia il piacere: lei risponda alle domande e alle indagini ci pensiamo io e il collega. Giusto, Esposito?» esclamò rivolgendosi all'assistente, che fino a quel momento se ne era stato zitto e fermo come l'alfiere della regina.

«Giusto, commissaria Lobosco.»

«Bene. Un'ultima cosa, Gentile: immagino sia al corrente che il commendator D'Angelo è il curatore nonché prossimo proprietario dell'azienda Terrarossa.»

Il ragioniere sospirò. «Purtroppo sì, sono stato informato qualche giorno fa dallo stesso commendatore.»

«Di che tenore erano i rapporti tra D'Angelo e la dottoressa Digioia? E quelli con Ciro Correale?»

Michele Gentile fece la faccia scura e mise le mani avanti. Lui quei due doveva averceli proprio sullo stomaco.

«Commissaria, è necessaria una premessa: il commendatore e il suo lacchè non hanno mai fatto parte di Terrarossa. Almeno fino alla morte di Suni non sono mai stati "uno di noi". Questo deve essere chiaro.»

«Ricevuto.»

«Per il resto, i rapporti con D'Angelo erano pessimi, Suni lo sopportava solo per i legami con la famiglia, e credo per motivi economici. D'Angelo ha sempre aiutato finanziariamente i Digioia, inoltre era il curatore dei terreni in Capitanata per conto di Terrarossa.»

«È al corrente del perché ci fosse tensione tra loro?»

«Credo fossero strutturalmente diversi. Il commendatore è un uomo di aperture e compromessi. Suni era un'integralista convinta, una che non faceva sconti nemmeno a sua madre.»

«E con Correale, andava meglio?»

Il ragioniere sorrise amaro. «Vuole scherzare? Suni detestava anche lui, soprattutto dopo un'incursione al ghetto qualche mese fa. Fu in quell'occasione che conobbe Kenan e Abeba. Ricordo che rientrò a Bari sconvolta, convocò immediatamente una riunione e giurò sulla buonanima di suo padre che non avrebbe più fatto affari con D'Angelo, e che lui e Correale non avrebbero più messo piede a Terrarossa.»

«Ed è stato così?»

«Per quanto ne so, sì. Almeno ufficialmente.»

«Che significa?»

«Che dal mio punto di vista, D'Angelo e Correale, a differenza di Morisco, sarebbero capaci di uccidere.»

Lolita lo guardò con simpatia. Caspita, pensò. Gentile era uno con le palle, non le mandava certo a dire. Avercene di uomini così. Certo, c'erano volute due ore e passa di tira e molla, ma aveva incassato una testimonianza che avallava in pieno la nuova direzione dell'indagine.

«Grazie, ragioniere, togliamo il disturbo. Arrivederci, signora.»

«Andate già via? Gradite un pezzo di parmigiana? È quasi pronta.»

«Grazie, ragioniere, siamo in servizio. Magari la prossima volta.»

«Sarà un piacere. Buonasera, commissaria.»

«Arrivederci.»

12 agosto, mercoledì

Quella notte dormì male. Tra chiasso e zanzare, l'estate barese era diventata un tormento. Avrebbe fatto meglio a restare a San Vito a farsi accarezzare da Caruso e dalla brezza che saliva dal mare, ma il maledetto senso del dovere che non riusciva a scrollarsi dalla pelle neanche durante le ore d'amore l'aveva convinta a tornare. Le quarantott'ore successive sarebbero state decisive per la conclusione dell'indagine e non poteva permettersi altre divagazioni.

Decisive, già. O almeno così sperava. Preparò una ciotolina di croccantini per Penelope, accese il fuoco sotto la caffettiera, si guardò allo specchio e si allisciò i fianchi mimando una posa sexy. C'era quella nuova ruga all'angolo della bocca e bisognava rifare il cachet per nascondere qualche capello bianco, ma nel complesso continuava a piacersi. La serata passata con Giancarlo aveva mandato via certe inquietudini che avevano avvelenato gli ultimi mesi. Entro un paio di settimane la loro relazione sarebbe cambiata radicalmente: lui sarebbe andato a dirigere il commissariato di Manfredonia e lei si sarebbe ritrovata di nuovo da sola, almeno per cinque giorni alla settimana. Il che a pensarci meglio non era un male, in fondo c'erano un sacco di cose da recuperare: libri da leggere, il cinema del mercoledì sera con Marietta, qualche serata in pizzeria con i nipoti e anche una mezza idea che accarezzava da molto tempo. La scrittura di un manuale di tecniche di investigazione, una sorta di «metodo Lolita» codificato per i posteri. E poi Montalbano. Già, finalmente sarebbe riuscita a concedersi quel weekend in Sicilia che rimandava da anni. Avrebbe visitato i luoghi che l'avevano vista ispettrice e il commissario siciliano che l'aveva fatta uscire pazza per una stagione di follia e che con il tempo era diventato un punto fermo nella sua vita. Nei momenti topici era il telefono amico al quale rivolgersi. Che fosse per un consiglio su un caso complicato, su una vicenda sentimentale o sulla ricetta della caponata, Salvuccio c'era sempre.

Giocò con una ciocca di capelli, provò ad appuntarla con un ferrettino dietro la nuca per vedere l'effetto e corse a spegnere il caffè. Sistemò la tazzina, uno yogurt e qualche biscotto su un vassoio e se ne andò a fare colazione sul terrazzo. I gerani e il basilico s'erano ammosciati per il troppo calore, ma la vista del mare calmo la ricaricò di energia. Ce l'avrebbe fatta anche stavolta a risolvere il caso, e riguardo a Caruso chissà, magari con la distanza le cose avrebbero funzionato meglio. Bevve un ultimo sorso, annaffiò le piante, infilò un abitino di lino nero con una ruche rossa sul davanti comprato in saldo in una boutique del centro, calzò le Louboutin portafortuna e andò in questura.

Dopo la riunione operativa con il questore e Monteforte, Lolita attraversò il corridoio a grandi passi e si affacciò alla stanza dell'ispettore Forte.

«Ciao, Antò, buongiorno.»

«Ehi, Lolì, che eleganza. Dove vai?»

«Al ristorante. Ti piace il pesce, sì?»

«Certo che mi piace, perché?»

«Ti invito a pranzo.»

«Dài. E che festeggiamo?»

«Niente, lavoriamo. Ah senti, prepara quella macchina che abbiamo sequestrato il mese scorso, ché metto due firme ai fascicoli e scendo.»

All'ispettore si accesero gli occhi come fanali. «Ma quale, la Porsche del boss di Japigia?»

«Quella, sì.»

«Madò, Lolì, che bello! E dove andiamo?»

La commissaria sollevò gli occhi al soffitto. Gesù, gli uomini! Eterni bambinoni. «Al Delfino blu» rispose spiccia.

«Capito. Allora ci siamo.»

«Eh, magari. Al momento si tratta solo di verifiche, ma non escludo che incastrando i vari pezzi si possa arrivare in breve tempo a qualcosa di determinante. Nella peggiore delle ipotesi mi resta un asso nella manica.»

«Cioè?»

«Un oggetto rinvenuto sul luogo del delitto, che la Scientifica ha provveduto a repertare e del quale ancora non ho parlato con nessuno. Dal mio punto di vista è quasi una firma dell'assassino, ma preferisco tenerla per me e aspettare la prova principe.»

«Ah, dove la troviamo quella?»

«Madò, ispettò, statt'nu poc'zitt'! Ché tante volte dove non arriviamo noi, arriva San Nicola, arriva.»

«Ma vattìn' va', Lolì! Secondo te San Nicola sta a pensare a noi.»

«Che ne sai, Antò, certe volte... Muoviti, sciàmm'. Ci vediamo giù tra cinque minuti.»

«Agli ordini.»

Il delfino blu era il ristorante più chic del lungomare di Palese. Pesce freschissimo, crostacei e molluschi di ogni genere da gustare crudi, oltre a una cantina rinomata in tutta la Puglia. Dalle automobili extralusso parcheggiate all'esterno in doppia e tripla fila si intuiva che la clientela non badava a spese. Quando Lolita entrò nel ristorante vestita da sciantosa, con gli occhiali scuri e abbondante Chanel n° 5 addosso, mezzo locale si girò a guardarla e l'anziano titolare si alzò dalla scrivania per riceverla con tutti gli onori.

«Buongiorno, ben arrivata. Sono Guglielmo Ranieri, il proprietario.»

«Buongiorno, Ranieri» replicò la Lobosco con una certa condiscendenza e atteggiando un poco la voce a sciura milanese. «Ho prenotato un tavolo vista mare per due a nome Forte.»

«Come no, le ho riservato il tavolo Cristallo direttamente sulla terrazza. L'accompagno.»

«Grazie.»

«Nel frattempo gradisce un aperitivo?»

«Con piacere.»

«Champagne?»

«Champagne. Ah senta...»

«Mi dica.»

«Il mio compagno arriva a minuti, sta parcheggiando. Sa dirmi se ci sono telecamere di sorveglianza? Abbiamo una Porsche nuovissima e non vorremmo rischiare.»

«Ma certo, ce ne sono quattro all'interno del parcheggio riservato e due agli angoli della strada. Con la clientela che abbiamo, ci teniamo a garantire una certa sicurezza.»

«Ottimo.»

La Lobosco sorrise soddisfatta. Poi abbassò la voce con tono preoccupato. «E come vi regolate per la privacy? Cosa fate con i filmati?»

Il ristoratore atteggiò il viso a uno che la sa lunga: niente niente la signora era lì con l'amante e non voleva rischiare che si sapesse troppo in giro.

«Stia tranquilla, pensiamo anche a quella. I nostri clienti devono sentirsi protetti e a proprio agio. Da molti anni abbiamo un contratto con un istituto di sorveglianza. Sono loro che acquisiscono i filmati e li trattengono per trenta giorni. Passato il tempo previsto, si cancellano in automatico.»

«Chi garantisce che avvenga davvero?»

L'uomo allargò le braccia. Madonnasanta, e chi era questa?!

«Be', il nome dell'istituto, la fiducia. Ci serviamo dalla Security Agency da circa dieci anni e non si è mai verificato il minimo incidente.»

«Bene, la ringrazio.»

L'uomo fece un mezzo inchino. «E di cosa, bella signora? Resto a sua disposizione per qualsiasi altra esigenza.»

155

«Che gentile. Senta, adesso che ci penso, quali protocolli adottate per la sicurezza sanitaria?»

Guglielmo Ranieri non fece una piega, doveva essere abituato agli scassacazzo.

«Seguiamo la normativa ufficiale prevista dal ministero della Sanità per quanto riguarda i ristoranti: chiediamo ai clienti nome, cognome e numero telefonico per poterli rintracciare in caso di possibile contagio. Conserviamo i dati per trenta giorni, come previsto dalla legge.»

Lolita Lobosco si rilassò immediatamente e bevve un sorso dello champagne che il cameriere le aveva versato in una preziosissima flûte di Baccarat. Dalla domenica dell'omicidio Digioia era trascorsa una decina di giorni e, se Ranieri diceva il vero in merito alle procedure, entro due o tre ore al massimo avrebbe acquisito un paio di elementi essenziali alla risoluzione dell'indagine.

Forte arrivò di lì a poco, la camminata alla John Wayne per darsi un tono. Gustarono un ottimo pranzo a base del miglior pescato delle coste adriatiche e joniche messe insieme, bevvero caffè e amaro e chiesero il conto.

«Chissà che mazzata» borbottò l'ispettore preoccupato. «Tu dici che in questura ce lo fanno passare nella nota spese?» L'idea dei rimbrotti di sua moglie all'arrivo dell'estratto conto gli rovinò l'inizio della digestione. Sarebbe venuto fuori il pranzo vista mare con la collega e Porzia con molta probabilità lo avrebbe cacciato di casa.

«Dai a me, dài. Stavolta offro io» lo rassicurò Lolita, sfilando il foglietto dalla cartellina di pelle blu che Forte non si decideva ad aprire. Il «caspita» le sfuggì di bocca davanti a un totale di cinquecento euro tondi tondi.

«Che c'è, Lolì, è assai?» chiese l'ispettore preoccupato. «Vuoi che facciamo alla romana?» azzardò, pensando alla faccia furiosa di sua moglie e alle reazioni scomposte quando c'era di mezzo Lolita.

«Tranquillo, Antò, sei mio ospite» lo rassicurò la commissaria, tirando fuori dal portafoglio la carta di credito e porgendola al cameriere. «In effetti è un po' caro, ma n'è valsa la pena.»

«Caro, dice lei. Ma se ti sei messa a bere champagne dopo cinque minuti!»

«Non mi pare che tu abbia bevuto acqua.»

«Che c'entra, se me lo metti davanti, lo champagne, che faccio, non lo bevo?!»

«Mè, alzati. Andiamo a parlare con il titolare.»

Guglielmo Ranieri li stava aspettando all'ingresso per i saluti. La signora, per quanto puntigliosa, si era rivelata un'ottima cliente. Tutto si aspettava dunque, tranne che la suddetta gli sbattesse in faccia il tesserino della polizia e gli chiedesse di favorire in privato.

L'uomo, che pure non aveva niente da nascondere se non qualche scontrino non battuto e qualche chiletto di taratuffi a disposizione degli intenditori, sbiancò visibilmente e si affrettò ad aprire la porta dell'ufficio.

«Si accomodi, dottoressa, come posso esserle utile?»

La Lobosco tirò fuori un paio di foto e le mostrò al ristoratore.

«Conosce queste persone?»

«Mi faccia vedere» temporeggiò quello lucidando e inforcando un paio di occhiali dalla montatura dorata. «Ma sì, certo che le conosco» esclamò, con un certo sollievo. «Questo è il commendator D'Angelo. Me lo lasci dire, uno dei miei clienti migliori. Saranno quasi vent'anni che frequenta Il delfino blu. Non dico tutti i giorni, ma almeno un paio di volte alla settimana viene a farci visita. L'altro è il suo sciacqui... ehm, il suo collaboratore. Mi sfugge il nome perché tutti lo chiamano...»

La Lobosco non gli diede il tempo di finire: «... Maradona.»

«Maradona, bravissima. Lo conosce anche lei» concluse, restituendole le foto. «Ma che succede?» s'informò, un tantino allarmato. «Che hanno combinato?»

«Nulla di particolare, stiamo facendo alcuni controlli a latere per ricostruire le dinamiche di un incidente stradale. Ci risulta che sono stati a cena qui la sera di domenica 2 agosto. Conferma?»

«Guardi, sulla data non ci metto la mano sul fuoco. Sicuramente sono stati qui di recente.»

«Da soli o in compagnia?»

«Erano in quattro.»

Lolita non nascose la sua sorpresa.

«Quattro? Come quattro, è sicuro?»

«Sicurissimo. Tre uomini e una donna.»

«D'Angelo, Maradona...» fece il punto Lolita. «E gli altri due chi erano? Li conosceva?»

«Mai visti. Erano stranieri, rumeni credo. Sono arrivati un quarto d'ora dopo il commendatore. Lei, la donna, molto vistosa. Hanno mangiato un grand plateau di percebes della Galizia e consumato un paio di bottiglie di champagne.»

«È sicuro di quello che dice? Per noi è molto importante.»

Ranieri fendette l'aria con le mani in un gesto che non ammetteva repliche.

«Certo, commissaria, sono sicurissimo! E sa perché?»

«Mi illumini, la prego.»

«Perché nel pomeriggio mi erano state consegnate quattro aragoste di pezzatura extra e un dentice di quattro chili. Quando il commendatore mi ha telefonato per riservare un tavolo da quattro, ho subito pensato di offrire a lui il meglio del meglio.»

«E invece?»

«Ho dovuto cambiare menu perché due di loro si sono assentati dopo aver consumato l'antipasto.»

«Il commendatore?»

«No, il suo collaboratore e l'amico.»

«E sono poi tornati?»

«Sì sì, il commendatore e la donna li hanno aspettati qui. Saranno stati via per un'ora e mezza almeno.»

«Bene, Ranieri. Faccio presente che per essere sicura al cento per cento della sua testimonianza ho necessità di visionare il registro degli ospiti presenti al Delfino blu la sera del 2 agosto e i filmati delle telecamere di sorveglianza.»

Il ristoratore annuì. Se la stava facendo sotto, ma non lo

diede a vedere. Spesso la sua clientela incappava nelle maglie della giustizia e lui temeva di finire coinvolto in qualche vicenda processuale. Fino ad allora se l'era cavata al massimo con una testimonianza, però la commissaria gli incuteva un certo timore, forse perché una femmina con quel ruolo e quella sicumera non l'aveva ancora incontrata. Dal suo punto di vista, le donne erano fatte per il letto e per figliare, non certo per mettere paura ai lavoratori onesti dall'alto di una divisa.

«Nessun problema, il registro possiamo controllarlo anche adesso» disse alzandosi per recuperare da uno scaffale un raccoglitore ad anelli. «Per quanto riguarda i filmati invece dovrà contattare Manlio Pepe, il direttore della Security Agency.»

«Certo, mi dia pure i suoi riferimenti. Intanto verifichiamo il registro delle presenze.»

«Prego, dottoressa Lobosco. Se vuole può controllare personalmente» si affrettò a dire Ranieri porgendole il raccoglitore.

Fu questione di pochi minuti: l'elenco era molto accurato, gli ospiti erano registrati per mese, giorno e orario di arrivo, suddivisi in fogli separati per pranzo o cena. Era perfino allegata una piantina con la disposizione dei tavoli e il numeretto di ognuno.

«Ci siamo, eccoli qui.» Lolita si rivolse all'ispettore Forte indicandogli con l'indice quattro nominativi e i relativi dati anagrafici.

D'ANGELO UMBERTO NATO A CERIGNOLA IL 9 MAGGIO 1958
CORREALE CIRO NATO A CERIGNOLA IL 18 MARZO 1973
STEFAN PETRESCU NATO A BRAŞOV IL 2 DICEMBRE 1982
DANA TIRIAC NATA A SUCEAVA IL 13 SETTEMBRE 1989

«Uhm, sì» fu il commento laconico del poliziotto.

Lolita lo guardò stupita, poi si rivolse al titolare. «Ci servirebbe una fotocopia di questo elenco controfirmata da lei, inoltre le raccomando di conservare l'originale fino a nostro ordine.»

«Certamente» assicurò Ranieri, inserendo il documento nello scanner della stampante.

Mostrò la copia alla commissaria, la firmò e la inserì in una busta trasparente. «Prego.»

La Lobosco si alzò e prese il documento. «Grazie, signor Ranieri, ci è stato di grande aiuto.»

L'uomo sembrò visibilmente sollevato. «E di cosa, dottoressa? Dovere di buon cittadino. Sempre a disposizione!»

«La saluto. Ah, e faccia i complimenti al cuoco. I paccheri erano ottimi.»

«Grazie, riferirò. Arrivederci, commissaria.»

Ranieri restò a guardarli finché non furono usciti dal parcheggio, poi si asciugò il sudore dalla fronte. Si chiese se fosse o meno il caso di avvisare il commendatore della visitina della *madama*, ma decise di soprassedere. Cazzi suoi, pensò avvicinandosi alla vetrinetta dei superalcolici e versandosi una dose generosa di bourbon.

All'interno dell'abitacolo della Porsche, Lolita diede di gomito all'ispettore.

«Che c'è, Antò? Mi pari perplesso.»

«Eccerto. Non condivido il tuo entusiasmo. Dal mio punto di vista l'elenco non fa che confermare l'alibi di quei due. Hanno dichiarato che erano al ristorante e adesso abbiamo la prova che non mentivano.»

«Non esattamente. Abbiamo la testimonianza di Ranieri che Correale si è allontanato per un'ora e trenta circa e che non era da solo. Da Palese a Terrarossa ci vogliono appena sette minuti di macchina. Sette più sette quattordici. Restano altri settantasei minuti per stordire Suni, strangolarla e simulare un suicidio. Sono sicura che ci sarà un riscontro dalla visione dei filmati della Security Agency. Anzi, fa' 'na cosa. Andiamo mo' stesso.»

«In che via è la sede?»

«Via Camillo Rosalba 238/B, Bari.»

«Speriamo che sia la volta buona. Fra due giorni tornano

mia moglie e i ragazzini. Se non mi metto in ferie almeno per una settimana, Porzia mi renderà la vita impossibile.»

«Antò, io è meglio che non parlo. Ognuno ha il coniuge che si merita.»

«Appunto. Statt'zitt' ogni tanto, Lolì.»

La sede della Security Agency era un loft situato in una delle meridiane più importanti della città. Occupava mezzo isolato e aveva le pareti ricoperte da monitor in funzione. All'interno, quattro impiegati vestiti come bodyguard erano impegnati a ricevere i clienti. I due poliziotti chiesero del direttore e, qualche minuto dopo aver visionato il tesserino che con discrezione la commissaria Lobosco aveva estratto dalla tasca, il più anziano del gruppo li introdusse in un parallelepipedo nero lucido che fungeva da saletta riservata. Si presentò come Michele Romito, vicedirettore, e s'informò su come poteva essere d'aiuto. Alla richiesta di visionare i filmati delle telecamere di sorveglianza del Delfino blu nella serata di domenica 2 agosto, non fece una piega. Si alzò, cercò una chiavetta usb tra mille incasellate in una parete di plexiglass, la inserì in un computer e girò il monitor verso i poliziotti.

«Prego, vi lascio soli. Ne avrete per ore. Azionando questo telecomando è possibile andare avanti o indietro. Se avete necessità di assistenza non esitate a chiamarmi, mi trovate al primo desk sulla sinistra.»

Lolita elargì un sorriso smagliante accompagnato da un «grazie» e si accomodò sulla poltroncina.

«Se avete necessità di assistenza non esitate a chiamarmi» ripeté l'ispettore Forte facendogli il verso. «Deve averci preso per due coglioni che non sanno usare manco un telecomando. O ci ha scambiati per carabinieri.»

«Madò, Antò, quanto sei permaloso. Quel poveraccio sta cercando solo di fare bene il suo lavoro. Dimentichi che la gente s'impressiona davanti ai poliziotti. Vent'anni che sei in polizia, ancora niente hai imparato, eh? Piuttosto, guarda qui.»

Azionò il telecomando prima avanti e poi indietro, poi ancora avanti finché individuò quello che stava cercando. I filmati corrispondevano al racconto del ristoratore: l'arrivo dei quattro in due macchine differenti, la ripartenza a stretto giro del rumeno e di Correale, il ritorno dei due dopo un'ora e quarantadue minuti, la ripartenza dei quattro dopo sette minuti esatti. Dal punto di vista di Lolita c'era abbastanza materiale per costruire un impianto accusatorio.

«Non sono d'accordo» obiettò l'ispettore Forte. «Assentarsi per un'ora o due non significa aver ammazzato qualcuno. Serve la pistola fumante.»

«Difficile. L'hanno appesa a una corda.»

«Ci siamo capiti.»

«Dobbiamo localizzare tutte le telecamere di sorveglianza presenti sul percorso da Palese a Terrarossa. In ventiquattr'ore al massimo li incastreremo con i frame dei filmati.»

«Ma è un lavoraccio, in ventiquattr'ore non ce la faremo mai.»

«Fatti fare una copia di tutto e raggiungimi in macchina, devo fare un paio di telefonate. Non c'è tempo da perdere, io intanto avviso i colleghi riguardo al tragitto che ci interessa e chiedo di verificare le telecamere installate intorno alla caserma dell'aeronautica.»

Dopo pochi minuti Forte salì in macchina e le porse un dischetto.

«Ecco. Adesso rilassati e fammi godere un po' la Porsche. Ti va un giro fino a San Giorgio?»

«Uffa, Antò, con tutto il daffare che abbiamo!»

«Eddài, Lolì...»

«Vabbè, dài, dieci minuti e si torna a lavorare.»

«Asciùt, dottorè!» si lasciò sfuggire l'ispettore sgommando e ridendo per la troppa felicità.

13 agosto, giovedì

Era cambiata la luna e forse anche il suo quadro astrale doveva essersi disposto a favore. Difatti la giornata cominciò nel migliore dei modi, con Caruso che bussò alla porta con un vassoietto di pasticciotti caldi, un thermos di cappuccino e un mazzetto di margherite.

Lolita premette il pulsante del videocitofono e andò ad aprire scalza e mezza nuda, la gatta che le si intrufolava tra le gambe. Detestava essere svegliata e poco ci mancò che lo lasciasse sul pianerottolo.

«Buongiorno, amore, non mi fai entrare?»

«Carù, ma che ci fai a Bari a quest'ora? Non sono manco le sette.»

«È che ieri mi sei mancata troppo.»

«E ti sembra un buon motivo per svegliarmi a quest'ora?»

«Direi» sussurrò lui baciandola e sfilandole quel poco che aveva addosso.

«Oh, ma che fai?» protestò Lolita, piuttosto debolmente in verità.

«Torniamocene a letto» propose Caruso, sollevandola di peso per poi poggiarla al centro del materasso continuando a baciarla. «Tra un paio di settimane mi trasferisco a Manfredonia e tu non ci sei mai. Ho deciso che resto a Bari con te fino a che non risolvi questo maledetto caso.»

«Non se ne parla. Tra poco ci alziamo, facciamo colazione e smammi. Se le cose vanno come dico io, stasera ti raggiungo a San Vito.»

«Giura.»

«Non giuro mai.»

Ad attenderla sul tavolo della questura c'erano due buone notizie. Dai referti della Scientifica erano saltati fuori un paio di dati interessanti: nel calice da cui Suni Digioia aveva bevuto vino rosso poco prima di essere strangolata erano state isolate tracce di benzodiazepine, le stesse rilevate durante l'autopsia; il calice rinvenuto accanto al divano recava tracce biologiche di Kenan Ba, mentre le impronte digitali sul terzo calice e un paio su quello della Digioia appartenevano a Ciro Correale. Per identificare il terzo uomo era stata provvidenziale una schedatura risalente a un vecchio precedente giudiziario e inserita nel database della polizia.

Dal punto di vista della Lobosco, quei nuovi elementi erano sufficienti a chiudere il caso. Correale, ragionò, dopo essersi allontanato dal ristorante insieme a Stefan Petrescu, aveva raggiunto Suni a Terrarossa con una scusa. Probabilmente Kenan Ba era già rientrato negli alloggi e Maradona, trovandola sola, le aveva somministrato benzodiazepine sotto forma di gocce versandole nel calice di vino; poi, quando la ragazza aveva perso i sensi l'aveva strangolata, forse aiutandosi con un cuscino, e con la complicità del rumeno aveva simulato il suicidio per impiccagione.

Se non correva ad arrestarlo era solo perché sia il dottor Monteforte della procura sia il questore Savella avevano richiesto prudenza e prove inconfutabili. Ma era questione di ore, se lo sentiva dentro le ossa.

Alle quattordici in punto comparve l'ispettore Forte pallido come un morto.

«Lolì» biascicò, il gozzo che faceva su e giù lungo il collo.

«Non mi dire! Scommetto che tua moglie è tornata in anticipo.»

«Mia moglie? Ma che cazz' stai a dire, Lolì? Quella sta a Margherita di Savoia fino a domani.»

«Ah sì? E allora cos'è quella faccia?»

«È che io non lo so tu come fai.»

«... a fare che, scusa?»

«A sapere sempre tutto.»

«Tutto cosa? Se si tratta dell'indagine, per piacere, non mi tenere sulle spine.»

«Proprio di quello parlo.»

Lolita si passò una mano sulla fronte, stava sudando. Cristo, com'era stata complicata quell'indagine.

«Ch'è succèss'? Muoviti e parla.»

Forte posò sulla scrivania il plico con le copie stampate dei frame incriminati e li allineò in sequenza cronologica. C'era tutto nero su bianco, esattamente come aveva previsto la Lobosco.

«Che ti devo dire? *Chapeau*, avevi ragione su tutto. La Maserati di D'Angelo è stata ripresa dalle telecamere dell'emporio di ferramenta all'angolo della strada che porta a Terrarossa, e da quelle di un distributore di benzina nei pressi dello svincolo per Santa Caterina. Al volante si vede Correale, con il rumeno al suo fianco. Sono stati ripresi sia all'andata sia al ritorno. I fotogrammi confermano la tua perfetta ricostruzione. Guarda tu stessa: qui Correale e il rumeno arrivano a Terrarossa intorno alle 22 e ne escono alle 22.47. Una cinquantina di minuti necessari a uccidere la Digioia e inscenare il suicidio. Qui s'infilano in macchina e ripartono. Destinazione Palese. Gli orari coincidono con quelli presunti della morte.»

Lolita diede un'occhiata distratta alle immagini e non fece una piega. Conosceva a memoria tutto il copione.

«E poi? Dovrebbe esserci dell'altro.»

«Guarda bene le immagini. C'è tutto.»

«Anche Kenan?»

Forte annuì. «Anche lui, sì. Tre giorni dopo il funerale, intorno all'una, le telecamere di un supermercato e quelle di un autosilos nei pressi della caserma dell'aeronautica riprendono la Tesla scura di Stefan Petrescu parcheggiare davanti all'ingresso. Dentro ci sono tre uomini. Correale e il rumeno siedono avanti, il terzo è semisdraiato sul sedile posteriore. Quando scendono si ha l'impressione che uno di loro sia ubriaco. È Kenan. Cammina male, ha le mani legate e quasi non si regge in piedi. È stato certamente picchiato. I due lo tengono per le braccia, armeggiano vicino al cancello della caserma e scompaiono oltre l'ingresso. Quattordici minuti dopo sono di ritorno, Kenan non c'è. Sappiamo perché: era morto, schiantato sul cemento del cortile con le ossa spezzate e la testa fracassata dall'urto. In questa immagine i due s'infilano nella Tesla e ripartono. Hanno già compiuto il loro delitto. Nelle ultime due fotografie, le telecamere dei caselli autostradali li riprendono in fuga verso Cerignola.»

Lolita allontanò le immagini che Antonio le mostrava, si portò le mani al viso e pianse.

14 agosto, venerdì

Non bastò la notte dolce con Caruso a disinnescare la tensione del caso Digioia. Il giorno dell'arresto dell'assassino di Suni era arrivato, ma Lolita temeva che l'operazione si rivelasse un buco nell'acqua. Dal suo punto di vista, Correale era un personaggio di secondo piano rispetto al mandante, un *deus ex machina* in odore di mafia. Avrebbe cercato di incastrare il commendatore in tutti i modi, ma in totale assenza di prove e di una confessione da parte del suo braccio destro, arrestare D'Angelo per omicidio sarebbe stato estremamente difficile.

Aveva puntato la sveglia alle sei per avere il tempo di scendere in spiaggia a guardare l'alba. Cerignola distava un'ora da Bari, in più doveva passare da largo Adua a cambiarsi. Caruso dormiva ancora, gli fece una carezza e scivolò fuori dal letto senza far rumore. Attraversò il giardino e aprì la porta di ferro che conduceva direttamente a Cala Cavallo. A quell'ora era deserta, i primi bagnanti sarebbero arrivati un paio d'ore più tardi. Srotolò una fouta sulla sabbia e si stese a guardar sorgere il sole. Il mare era una tavola d'olio e le venne voglia di tuffarsi, ma era scesa con la solita sottanina, dimenticando di indossare il costume. Ci pensò un attimo, poi si guardò intorno. Non c'era nessuno. Sfilò l'indumento ed entrò in acqua, il tempo di una ventina di bracciate e tornò indietro. Caruso la stava aspettando con un telo di spugna tra le mani, incredulo nel vederla emergere dall'acqua quasi nuda e scintillante.

«Sei bellissima, Lolita» le sussurrò sulla pelle, tamponandola con la stoffa e con le labbra.

«Devo andare.»

«Lo so.»

«Stasera torno qui.»

«Ti aspetto.»

«Incrocia le dita per me.»

L'operazione Terrarossa organizzata dalla polizia di stato e coadiuvata da guardia di finanza, carabinieri e polizia giudiziaria era scattata all'alba nelle campagne di Cerignola. Quando Lolita e l'ispettore Forte arrivarono, il sostituto procuratore Giorgio Monteforte era già in loco e provvide a informarli sugli ultimi aggiornamenti.

Umberto D'Angelo era stato arrestato con l'accusa di intermediazione illecita e sfruttamento del lavoro in seguito a un controllo giudiziario di sette aziende di sua proprietà, composte da duemilacinquecento ettari con coltivazioni miste, dove lavoravano trecento dipendenti, con un volume d'affari di circa otto milioni di euro.

Il commendatore era inoltre accusato di evasione fiscale, di sfruttamento dei braccianti agricoli italiani e di riduzione in schiavitù di buona parte di quelli stranieri, perlopiù di nazionalità africana, reclutati nei ghetti. Per anni i lavoratori erano stati pagati in nero pochi euro al giorno, in totale violazione dei contratti collettivi nazionali e territoriali stipulati dai sindacati. Erano inoltre stati costretti a faticare per oltre dieci ore al giorno, senza concedere loro alcun riposo settimanale e con una pausa quotidiana di appena mezz'ora. I carabinieri avevano notificato la misura cautelare anche a Ciro Correale, che inoltre era stato accusato dalla sezione Omicidi della questura di Bari e dalla procura degli assassini di Assunta Digioia, detta Suni, e Kenan Ba, con l'aggravante della premeditazione.

Stefan Petrescu, al momento irreperibile, era ricercato con l'accusa di concorso in omicidio.

L'interrogatorio di Correale si svolse un paio d'ore dopo in una cella del carcere di Bari alla presenza di Monteforte, della Lobosco e di un paio di poliziotti.

«Lei sa perché è qui?» esordì la commissaria.

Correale non rispose, si limitò a scrollare le spalle. Aveva l'aria scocciata e strafottente di chi ha la certezza che nel giro di poco qualche legale compiacente e ben pagato provvederà a tirarlo fuori.

«Allora?» insisté la Lobosco.

«Per i negri.»

«Sarebbe a dire?»

«Perché abbassavamo le paghe di un trenta per cento rispetto al dovuto?»

«Di quanto?»

«Forse del settanta, mi sono confuso. Non mi occupo direttamente delle paghe.»

«Certo. Lei provvede a ridurli in schiavitù.»

«Ma quando mai, commissà? Che c'entro io se il sistema agricolo italiano è completamente marcio? Lo sa di chi è la colpa di questa situazione?»

«Me lo dica lei.»

«Sì sì, certo che glielo dico. La colpa è delle aste al doppio ribasso e della grande distribuzione che strangola gli imprenditori. Ha idea dei costi fissi di un'azienda agricola? Tasse, contributi, concimi, manodopera, mezzi, carburante. Insomma, bisogna pur campare.»

«Sulla pelle degli altri, mi sembra di capire.»

«Non lo dico io, è la legge della natura.»

«E quale sarebbe 'sta legge? Mi sfugge.»

«Una legge universale: il pesce grande mangia il pesce piccolo.»

«Esiste una differenza sostanziale: il mondo animale segue le leggi della natura, noi quelle degli uomini.»

«Per me la legge è legge, non c'entra la natura.»

«Correale, suvvia, i pesci non vengono accusati di omicidio. Almeno questo dovrebbe saperlo.»

Alla parola "omicidio" Correale si alterò. Cominciava a capire che l'interrogatorio stava pigliando un'altra direzione.

«Omicidio. Quale omicidio? Di cosa stiamo parlando?»

«La prego di rispondere alle mie domande. Quali erano i suoi rapporti con Assunta Digioia?»

Correale la guardò torvo. «Rapporti, ma quali rapporti, commissà? Io lavoro per il commendatore, eseguo i suoi ordini, lo accompagno, se c'è da andare a Terrarossa ci vado, se c'è da andare in America ci vado. Se c'era da portare un documento da far firmare alla dottoressa, eseguivo. Tutto qui, nessun tipo di rapporto.»

«Quand'è stata l'ultima volta che l'ha vista o ci ha parlato?»

«Eh, così su due piedi non me lo ricordo...»

«Faccia uno sforzo.»

«Forse qualche mese fa. Era venuta a Cerignola a ispezionare i terreni dell'azienda.»

«E poi basta?»

«Penso di sì.»

«Conosce Abeba Ba?»

«Mai sentita. Chi è?»

«Una bracciante di Terrarossa. E suo fratello Kenan?»

Correale scosse la testa. «No, mi dispiace.»

«Strano, hanno lavorato a Cerignola per diverso tempo, proprio nei terreni di Terrarossa gestiti dal commendatore.»

L'uomo sporse il busto in avanti e parlò in tono confidenziale. «Commissà, a dire la verità, io questi negri manco li riesco a distinguere tra loro. Si assomigliano tutti e pure i nomi sembrano gli stessi, magari li ho conosciuti e adesso non me li ricordo...»

«È comprensibile» concesse la Lobosco con un sospiro, frugando nella tasca del blazer. «Dove l'ho messo?» farfugliò sottovoce. Qualche secondo dopo posò sul tavolino che la divideva da Correale una bustina di cellophane, contenente un piccolo oggetto sferico di smalto biancoazzurro.

«Ho una cosa per lei. Credo sia il suo.»

A Maradona si illuminarono gli occhi. «Oh Gesù, un miracolo! Dove lo ha trovato? Credevo di averlo perso per sempre. Lo sa cosa è?»

«Da quello che vedo, un gemello con i colori del Napoli.»

«Apparteneva a Maradona. A lui proprio. L'ho comprato a un'asta benefica una ventina di anni fa.»

«Ah già, il suo mito.»

«Dove lo ha trovato?» chiese quello senza nascondere una certa preoccupazione.

«Le domande le faccio io» replicò la commissaria riappropriandosi dell'oggetto.

«Ma cosa fa, non me lo restituisce?» protestò l'uomo, deluso come un bambino.

«Non posso. È una delle prove per l'accusa di duplice omicidio nei suoi confronti.»

«Duplice omicidio?!» urlò Correale. «Ma quando mai?! E chi avrei ucciso, si può sapere?»

Lolita tirò fuori dalla borsa i fotogrammi delle telecamere di sorveglianza che avevano contribuito a risolvere il caso.

«Veda un po' lei se è opportuno continuare con questa commedia. Piuttosto le converrebbe collaborare. La ritengo formalmente responsabile di omicidio premeditato nei confronti di Assunta Digioia e di Kenan Ba. In entrambi i casi ha agito con la complicità di Stefan Petrescu, che al momento è irreperibile.»

Correale sbatté violentemente un pugno sul tavolino. «Quel bastardo!»

«Perché li ha uccisi?»

«Ce li avevo sul cazzo. Va bene?»

«Signor Correale, quando si indaga per omicidio, la prima cosa che si cerca è il movente. Trovato quello si cerca l'assassino. Dal nostro punto di vista, a prescindere dalle antipatie personali, l'esecuzione della Digioia si inserisce in un contesto più ampio. Qualcosa che ha a che fare con la criminalità organizzata, con quella che comunemente viene chiamata "mafia".

Ecco perché io e il sostituto procuratore Monteforte sospettiamo che lei, a prescindere dai motivi personali, abbia agito per conto di altri.»

«Altri. Quali altri, commissà?»

«Il commendator D'Angelo, per esempio.»

Correale la fissò. Sembrò voler dire qualcosa, poi scosse il capo con decisione. «Il commendatore non c'entra nulla. Ho agito per mio conto con l'aiuto di Petrescu.»

Monteforte fece un cenno con la testa ai due poliziotti affinché riportassero Correale in cella e si rivolse alla commissaria. «Che ne pensi?»

«Che è un osso duro addestrato a proteggere il suo capo.»

«Lo credo anch'io. Accetterà di pagare da solo e non parlerà.»

«Vedremo. Scaveremo nei computer e nei telefoni, magari salterà fuori qualcosa.»

«Che vuoi fare, adesso?»

«Voglio interrogare D'Angelo.»

«Non caverai un ragno dal buco.»

«Lo so, ma voglio provarci lo stesso.»

«Vuoi che venga con te?»

Lolita sorrise. Monteforte era un bel tipo. «Stavolta no, con D'Angelo faccio da sola. Ma una di queste sere potremmo vederci per un aperitivo.»

Il magistrato la guardò sorpreso. La Lobosco ci stava provando, o era una sua impressione?

«Perché no.»

«Ti chiamo, allora.»

«A presto, Lolita. Fammi sapere com'è andata.»

La commissaria si fermò nel cortile del carcere a guardare il cielo. Era talmente azzurro che pareva impossibile che là sotto germogliassero crimini e cattiverie. Strinse la borsa di cuoio e chiese a Esposito di accompagnarla all'indirizzo di Trani dove il commendatore si trovava agli arresti domiciliari.

D'Angelo, al pari di un regnante, era accomodato in salotto su una poltrona di velluto color rubino, elegantissimo e impomatato come al solito. Alla vista della commissaria si alzò per il consueto inchino, declamando a memoria i versi che Dante Alighieri aveva dedicato alla sua Beatrice: «*Tanto gentile e tanto onesta pare... Mostrasi sì piacente a chi la mira, che dà per li occhi una dolcezza al core.*»

La Lobosco ebbe un gesto di stizza. «D'Angelo, la smetta con queste commedie inutili. Mi dica piuttosto perché lo ha fatto. È un uomo ricco, colto, potente. È davvero necessario uccidere per ottenere un briciolo di potere in più?»

Il commendatore sorrise, tirò fuori dalla tasca un sigaro, lo accarezzò lentamente e lo passò un paio di volte sotto il naso per inspirarne l'odore.

«*Intender no la può chi no la prova*» continuò a declamare ironico, riaccomodandosi.

«Basta!» sibilò Lolita, infastidita. «Dante si starà rivoltando nella tomba. Risponda alla mia domanda.»

«È quello che stavo facendo» spiegò il commendatore. «Citare è un mio antico vezzo. Per quanto riguarda la sua domanda, è tendenziosa e non capisco perché la stia ponendo a me. Ma se la sua è una curiosità, come dire, antropologica, può tornarle utile un vecchio detto della cultura siciliana.»

«E quale sarebbe questo condensato di saggezza? Mi dica.»

D'Angelo tagliò il sigaro, lo accese, aspirò e soffiò il fumo verso l'alto, poi accavallò le gambe e imitando l'accento siciliano recitò: «*Cummannari è megghiu ri futtiri.*» Poi continuò cambiando tono: «La saluto, dottoressa Lobosco. D'ora in avanti per le risposte alle sue preziose domande si rivolga direttamente ai miei avvocati.»

Lolita restò qualche secondo immobile per assorbire il colpo. Se qualcuno le avesse tirato un manrovescio in piena faccia avrebbe provato meno dolore e non avrebbe avvertito quel senso di umiliazione bruciante e di sconfitta che le aveva inflitto D'Angelo con la sua massima. Nei suoi tanti anni in polizia si era illusa che il bene vincesse sul male, che lo stato fosse più forte dei criminali e che la sua totale abnegazione al lavoro servisse a cambiare le cose. Improvvisamente realizzò che il suo operato era una goccia d'acqua pulita nel mare limaccioso della mafia, e le mancò la terra sotto i piedi.

Entrò nella volante dove l'attendeva Esposito, accasciandosi sul sedile del passeggero.

«Si sente bene, dottoressa?» chiese sollecito l'assistente. «Vuole che chiami l'ispettore Forte?»

«Lascia stare, Espò, è solo stanchezza.»

«Vuole che l'accompagni in questura? O preferisce tornare a casa? Preferisce fermarsi a prendere un caffè?»

Lolita guardò l'orologio, erano le quindici. A quell'ora Caruso era appena tornato dalla spiaggia e si riparava nella frescura della casa bianca, all'ombra delle persiane socchiuse. Ripensò alla promessa fatta al mattino e in quel momento le braccia dell'uomo che amava le parvero l'unico posto al mondo dove trovare un senso. Certo, sarebbe stato più urgente chiamare Marietta, avvisare la madre di Suni e Abeba che giustizia era stata fatta ma solo a metà, che qualcuno avrebbe pagato ma un altro l'avrebbe fatta franca, e che il *sistema* era troppo ben oliato per essere demolito in pochi giorni. Però era talmente stanca da non riuscire ad affrontare il dolore degli altri. Per la prima volta nella sua vita decise di anteporre se stessa a tutto il resto e di prendersi del tempo insieme all'uomo che amava e che presto avrebbe lasciato San Vito per Manfredonia.

«Allora, dottorè, che facciamo?»

La voce petulante di Esposito la riscosse. Tirò su il finestrino e inforcò gli occhiali da sole.

«No, niente caffè. Accompagnami a San Vito. Adesso scrivo al questore, prendo un permesso per oggi, da domani mi rimetto in ferie. Bruciasse pure la città, per due settimane non ci sono per nessuno. Ah senti, Espò, fammi il favore, avvisa tu l'ispettore Forte.»

«Io, commissà? L'ispettore ci resterà male. Meglio se glielo dice lei personalmente.»

«Me ne fotto se ci resta male.»

«Ho capito. Riferirò.»

«Mè, parti. E guida piano per favore.»

«Agli ordini, dottorè.»

Lolita armeggiò con il telefono. Scrisse un paio di mail – una all'ufficio del personale, l'altra al questore Savella –, poi inviò un messaggio a Giancarlo.

Tra un'ora sono lì.

La risposta arrivò immediatamente. *Vieni, bella mia.*

Sorrise, reclinò leggermente il sedile e chiuse gli occhi. Era ufficialmente in ferie, Caruso l'aspettava. A tutto il resto ci avrebbe pensato a settembre.

118   3/12/22

Ringraziamenti

Al Professor Introna per la consulenza medico-legale e per aver concesso l'uso del suo nome all'interno della narrazione.

A Lea Durante per avermi raccontato la figura di Liliana Rossi.

A Daniela Marcone per alcune informazioni su Libera Foggia e sul progetto No Cap.

A Vanni Sansonetti, Nicky Persico, Ornella Mirelli, Alessandra Barbone per alcune delle ricette inserite.

Alle lettrici di San Severo per avermi parlato di Casa Sankara.

Ai librai, agli organizzatori di festival, rassegne ed eventi culturali.

Ai miei lettori, sempre.

P.S. In alcuni casi, per esigenze letterarie il romanzo non rispetta la cronologia delle notizie di cronaca.

Le ricette di Lolì

Impanata/*M'banôt* (a cura di Vanni Sansonetti)

Bastano pochi ingredienti locali e tradizionali, come cicorie selvatiche, purea di fave, pane raffermo, olio extravergine d'oliva e sale, per preparare l'impanata, piatto tipico della cucina castellanese.

Ingredienti:
2 kg di cicorie selvatiche (sivoni)
500 g di purea di fave
500 g di pane raffermo a pezzi
1 patata
250 ml di olio extravergine d'oliva pugliese
sale q.b.

Un tempo le fave si cuocevano per 4-5 ore a fuoco lento in acqua salata, insieme alla patata. Il recipiente per la preparazione era una pignatta di creta con il collo rigato. L'acqua non doveva superare questo segno, altrimenti sarebbe fuoriuscita durante l'ebollizione. Le cicorie si cuocevano a parte in grandi pentoloni sui bracieri, per poi versarle all'interno di bacinelle con il fondo ricoperto di pane raffermo. Una volta terminata la cottura delle fave, si montava la purea con un cucchiaio di legno e si aggiungeva l'olio. La purea veniva poi aggiunta ancora calda alle verdure e al pane. Questo piatto unico si può accompagnare con i cornaletti fritti, le olive – fritte o in salamoia –, l'insalata di cipolle rosse o le polpette di pane. Questa facile ricetta, che appartiene alla tradizione popolare contadina ed è rimasta immutata nel tempo, è stata insignita del marchio De.Co. (Denominazione comunale di origine) dal comune di Castellana Grotte.

Lasagna ai carciofi

Ingredienti per 6 persone:
10 carciofi puliti e tagliati a fette o spicchi
olio q.b.
1 bicchiere di vino bianco
300 ml di brodo
750 g di besciamella
500 g di mozzarelle
parmigiano q.b.
500 g di lasagna fresca

Rosolate i carciofi con olio e cipolla, sfumate con un bicchiere di vino bianco, continuate la cottura con il brodo caldo per 15 minuti. Aggiungete la besciamella e mescolate bene. Componete una lasagna alternando le sfoglie al composto, al parmigiano e alle mozzarelle. Infornate a 200 °C per 30 minuti.

Soupe à l'oignon alla barese

Ingredienti per 6 persone:
1 kg di cipolle rosse di Acquaviva
30 ml di olio extravergine d'oliva pugliese
pane di Altamura a fette
1 bicchiere di primitivo di Manduria
1 foglia di alloro
500 ml di brodo di carne
3 cucchiai di brandy
1 scamorza

Affettate sottilmente le cipolle e fatele caramellare a fuoco lento con l'olio in una pentola di terracotta o ghisa. Sfumate con il vino primitivo e continuate la cottura per almeno un'ora, aggiungendo l'alloro e il brodo in due volte. A cottura quasi ultimata unite il brandy. Accendete il grill, tostate il pane, tritate la scamorza nel mixer. Sistemate il pane nelle pirofile monoporzione, coprite con le cipolle e ultimate con la scamorza. Fate dorare sotto il grill per pochi minuti.

La focaccia di Lolì

Ingredienti:
750/800 ml di acqua tiepida
1 cubetto di lievito di birra
200 g di farina 00
200 g di farina 0 o Manitoba
200 g di semola
2 cucchiai di sale
20 g di fiocchi di patate

Preparate l'impasto come d'abitudine, a mano o nel robot, fate lievitare circa un'ora. Preriscaldate il forno alla massima temperatura per 15 minuti. Condite con olio e pomodori, infornate per 30 minuti sempre alla massima temperatura.

Focaccia di grano arso

Procedete come per la focaccia di Lolì ma sostituite i 200 grammi di semola con 200 grammi di farina di grano arso. Si può condire anche con sale rosa e rametti di rosmarino bianco. Accompagnata con tocchetti di parmigiano e vino bianco ghiacciato, è un aperitivo raffinatissimo.

Spaghetti all'Assassina di Lolita

Ingredienti per 4 persone:
500 g di spaghetti
2 barattoli da 800 g di pomodori pelati
100 ml di olio extravergine d'oliva pugliese
1/5 peperoncini secondo i gusti
2 spicchi d'aglio
300 g di pomodori ciliegino

In una grande padella versate l'olio, i peperoncini, l'aglio, i pelati frullati precedentemente, i pomodorini tagliati a metà. Fate cuocere con il coperchio per 15 minuti circa, aggiungete gli spaghetti crudi. Aiutandovi con un mestolo, ricoprite con il sughetto. Quando si saranno ammorbiditi mescolate piano piano e proseguite la cottura fino al completo assorbimento del sugo, e conseguente bruciatura dello spaghetto.

Torta alle noci
(Ricetta gentilmente concessa da Ornella Mirelli – instagram.
com/ornella_mirelli?utm_medium=copy_link)

Ingredienti (per una tortiera da 22 cm-24 cm di diametro):
250 g di noci già sgusciate
200 g di zucchero
100 g di burro
4 uova medie
40 g di cacao amaro
4 cucchiai di farina 00
1 cucchiaino di lievito per dolci
vaniglia

Per lo stampo:
burro e pangrattato q.b.

Per decorare:
zucchero a velo q.b.

Tostate le noci in una padella antiaderente o in forno cal-
dissimo, smuovendole spesso. Tritate le noci nel cutter insieme al cacao, aggiungete il burro fuso e mescolate. In un'altra
ciotola sbattete le uova con lo zucchero, unite farina e lievito
setacciati, i semi di mezza bacca di vaniglia o una bustina di
vanillina. Mescolate i due composti e versate in una tortiera imburrata e spolverata con pangrattato sottile. Infornate a
250 °C per 10 minuti. Fate intiepidire, disponete su un piatto e
spolverizzate con zucchero a velo.

Tarallini pugliesi
(Ricetta gentilmente concessa da Alessandra Barbone – isognatoridicucinaenuvole.it/2020/12/taralli-friabili.html)

Ingredienti:
250 g di farina 0
60 ml di olio extravergine d'oliva pugliese
90 ml di vino bianco
7 g di sale fino
2 g di bicarbonato di sodio

Versate le polveri in una ciotola e mescolate. Aggiungete il vino tiepido, l'olio e impastate fino a ottenere un impasto morbido e liscio a forma di palla. Fate riposare nella ciotola coperta da pellicola per una mezz'ora. Ricavate dei serpentelli del diametro di circa mezzo centimetro. Tagliateli a pezzetti lunghi circa 5 cm e chiudeteli ad anello, sistemandoli in una teglia antiaderente. Cuocete in forno caldo ventilato a 180 °C per circa 30 minuti. I tarallini sono cotti quando assumono un leggero colore dorato. Fate raffreddare molto bene e conservate in una scatola di latta.

Pastiera di grano e ricotta
(Ricetta gentilmente concessa da Alessandra Barbone – isognatoridicucinaenuvole.it/2011/04/questo-uno-di-quei-dolci-che-chiss.html)

Per il ripieno:
1 barattolo di grano cotto
300 ml di latte
1 cucchiaio di burro
700 g di ricotta vaccina
700 g di zucchero
7 uova intere + 3 tuorli
1 fiala di acqua di fiori d'arancio
150 g di cedro candito a cubetti o cioccolato fondente a pezzetti

Per la pasta frolla:
500 g di farina
200 g di burro
200 g di zucchero
2 uova intere

Svuotate in un tegame il grano cotto e aggiungete il latte e il burro. Fate cuocere lentamente fino a quando il composto non sarà diventato cremoso. Fate raffreddare. Preparate la pasta frolla e lasciatela riposare. Frullate la ricotta con lo zucchero e le uova fino ad avere una crema liscia, versate tutto nella crema di grano, aggiungete l'acqua di fiori d'arancio e il cedro candito o il cioccolato fondente, a seconda dei gusti. Imburrate e infarinate una teglia di almeno 28-30 cm di diametro, rivestitela di pasta frolla conservando un po' di pasta per le strisce decorative; versate il composto, infine create la griglia con le strisce di pasta rimasta. Infornate a 180 °C per almeno un'ora e mezza, fino a quando il dolce non ha assunto il tipico colore bruno. A piacere, una volta freddo, cospargete di zucchero a velo.

Panzerotti di zia Liliana

(Ricetta gentilmente concessa da Alessandra Barbone – isognatoridicucinaenuvole.it/2012/02/panzerotti.html)

Per la pasta:
1 kg di farina 00
1 cucchiaio di strutto o burro
1 cucchiaio di zucchero semolato
2 cucchiai di sale fino
1 panetto di lievito di birra
400 ml circa di acqua tiepida

Per il ripieno classico:
1 kg di mozzarelle a treccia
1 barattolo di pomodoro a cubetti
100 g di formaggio grattugiato
sale q.b.
pepe q.b.
olio di semi di arachidi o di girasole per friggere

Impastate tutti gli ingredienti insieme fino a ottenere un composto morbido e asciutto. Fate lievitare al caldo fino a che il volume non risulterà raddoppiato. Tagliate a dadini le mozzarelle, fate sgocciolare tutto il liquido in eccesso, aggiungete il pomodoro a cubetti, il formaggio, il sale e il pepe. Mescolate bene e lasciate sgocciolare ancora. Stendete l'impasto, possibilmente senza l'aiuto della farina, fino a uno spessore di circa 3 mm e un diametro di 15 cm, mettete un cucchiaio circa di ripieno al centro della pallina, ripiegate a metà la pasta e sigillate i bordi molto bene, stando attenti a fare uscire tutta l'aria per evitare che durante la frittura si gonfino fino a scoppiare. Friggete in olio caldo fino a doratura. Si possono fare anche ripieni di pomodoro e ricotta forte, un tipo di ricotta fermentata e piccante tipica pugliese, oppure con carne macinata mescolata a uova e parmigiano, o con la cipolla e con le rape stufate.